저희 아들은 『똑똑한 하루 독해』를 푸는 동안에
정말 **멈출 수 없는 흥미로움과 재미**에 빠져 있었습니다.
'더 하고 싶어. 더 풀고 자면 안 돼?'라는 말을 많이 듣게 해 준 독해서예요.
정말 즐겁게 잘 풀어 준 교재라 저는 더할 나위 없이 좋았네요.
다시 한 번 더 정말 너무너무 감사드리고 『똑똑한 하루 독해』를 빨리 만나 보고 싶어요.

– 『똑똑한 하루 독해』 검토단 이은주(초등학교 3학년 학생 부모님)

#홈스쿨링
#혼자공부하기

똑똑한
하루 독해

Chunjae
Makes
Chunjae

▼

[똑똑한 하루 독해] 2단계 A

기획총괄	박진영
편집개발	전종현, 이재인, 김민숙, 김효진, 백경민, 박지윤, 박지영
디자인총괄	김희정
표지디자인	윤순미, 안채리
내지디자인	박희춘, 임용준
제작	황성진, 조규영

발행일	2021년 11월 15일 2판 2023년 11월 15일 4쇄
발행인	(주)천재교육
주소	서울시 금천구 가산로9길 54
신고번호	제2001-000018호
고객센터	1577-0902

2단계 A 공부할 내용 한눈에 보기!

똑똑한 하루 독해를 함께 할 친구들을 소개합니다.

지구의 문화를 알려 주는 글을 잘 이해하고 싶어 지구별로 놀러 온 외계인 토토와 랑랑! 어쩐지 외계인의 초능력이 통하지 않는 지찬이와, 랑랑과 같은 아이돌 그룹을 좋아하는 수아를 만나 독해력을 키워 나가기로 했어요.

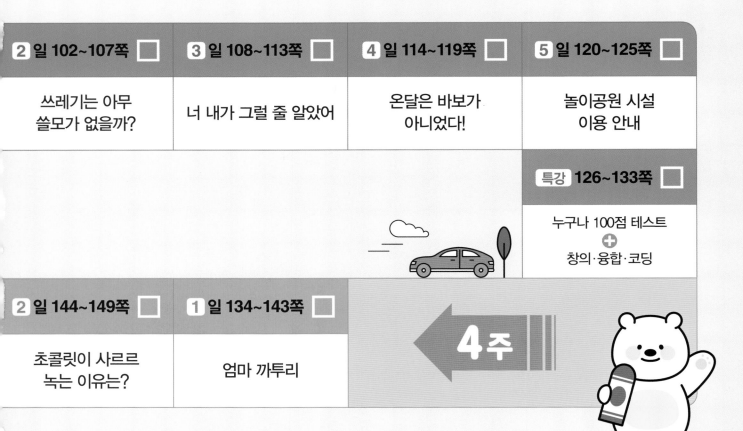

똑똑한 하루 독해

2단계 Ⓐ 스케줄표

1주

3주

멋져! 한 권을 모두 끝냈구나.

지구의 음식 문화를 사랑하는 토토와 지구의 아이돌 그룹을 사랑하는 랑랑! 두 외계인이 지구의 두 아이와 함께 때로는 사이좋게, 때로는 티격태격 시간을 보내며 독해력을 키워 나가는 모습을 지켜봐 주세요.

독해? 독해!
독해가 뭐예요?

똑똑한 독해 질문

하나!

다들 '독해, 독해' 하는데 독해가 뭐예요?

글자를 읽기만 하는 게 아니라
진짜 이해하여 내 지식으로 만드는 것이 독해예요!

똑똑한 독해 질문

둘!

그럼 독해는 국어인가요?

독해는 그냥 국어만이 아니에요. 읽고 이해하는 독해가 안되면 수학 문제도 풀 수 없어요. 이처럼 독해는 모든 과목 공부를 잘하기 위한 기초랍니다. 독해를 통해 모든 과목의 지식을 내 것으로 만드는 방법을 배워야 해요.

똑똑한 독해 질문

셋!

글 읽고 문제만 계속 풀면 독해 공부가 되나요?

무조건 글 읽고 문제만 푼다고 독해 공부가 잘될 리 없지요. 『똑똑한 하루 독해』로 공부해 보세요. 먼저 어휘를 익히고 시나 이야기뿐만 아니라 수학, 사회, 과학, 역사, 예술은 물론 생활 속 글까지 다양하게 읽어 보세요. 그리고 어휘 심화 문제와 게임으로 실력을 다져요. 이해도 쏙쏙 되고 지루할 틈이 없겠지요?

진짜 똑똑한 독해를 시작해 볼까요?

이 책의 특징과 장점

똑똑한 하루 독해로 똑똑해지자!

뭐 이렇게 독해책이 많아?

모르는구나? 요즘 독해가 대세야!

독해를 잘해야 국어뿐만 아니라 다른 과목 문제를 풀 때에도 요점을 잘 짚어 이해하고 풀 수 있다고.

독해는 어휘가 기본인데, 이 책은 어휘가 너무 부족해.

이 책은 너무 글만 가득해서 어렵고 지루해. 벌써 졸려!

이 책은 몽땅 교과서 글만 있잖아. 난 다양한 글을 읽고 싶은걸.

똑똑한 하루 독해!

왜 똑똑한 하루 독해일까요?

① **10분**이면 **하루 독해 끝!** 쉽고 재미있는 독해 공부!

② **어휘로 준비**하고 **어휘로 마무리!** 어휘력 쑥! 독해력 쑤욱!

③ **'문학·비문학·실생활'** **알짜 지문!** 하루하루 다양하고 즐거운 독해!

④ **독해 최초** **생활 속 독해, 생활 어휘, 생활 한자!** 생활 맞춤 실용 독해 완성!

⑤ **똑똑한 독해 게임**으로 **사고력 넓히기!** 창의·융합 독해력 팍팍!

이 책의 구성과 활용

한 주에 공부할 내용을
한눈에 보고,
문제로 확인합니다.

주 도입

한 주 동안 매일 공부할 글의 제목과 내용을 만화로 미리 살펴
보고, 한 주의 독해 속 어휘를 만화와 문제로 확인합니다.

독해 코스

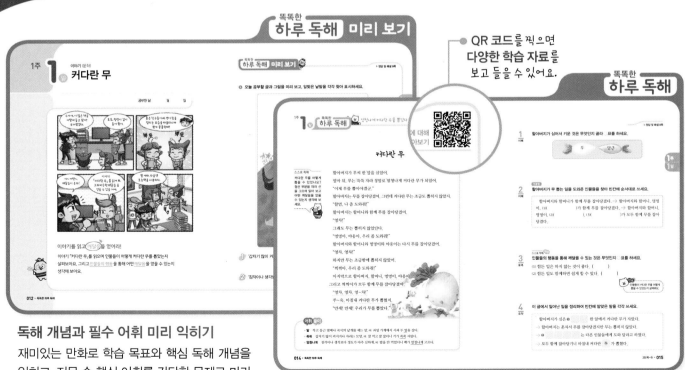

QR 코드를 찍으면
다양한 학습 자료를
보고 들을 수 있어요.

독해 개념과 필수 어휘 미리 익히기
재미있는 만화로 학습 목표와 핵심 독해 개념을
익히고, 지문 속 핵심 어휘를 간단한 문제로 미리
익히며 독해를 준비합니다.

실전 독해와 다양한 유형의 핵심 문제 풀기
여러 영역의 글을 읽고 다양한 유형의 문제로 독해를 완성합니다. 서술형 문제로
쓰기 연습을 해 보고, '스스로 독해 해결!' 문제로 자기 주도 학습 능력을 키웁니다.

어휘 문제로 마무리하기
글에 쓰인 어휘를 문제로 다시 한번 확인
하고 비슷한말, 반대말 등 관련 어휘 학습
으로 어휘력을 넓힙니다.

게임으로 독해력 넓히기
재미있는 독해 게임으로 독해력을 넓히고
하루의 독해 학습을 마무리합니다.

누구나 100점 테스트와
주 특강으로 한 주의 독해를
마무리해 봅니다.

주 마무리

누구나 100점 테스트

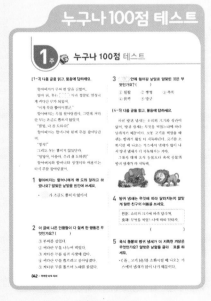

➕

누구나 100점 테스트
한 주 동안 공부한 내용을 평가해
보며 독해 실력을 확인하고, 독해에
대한 자신감을 키웁니다.

주 특강 창의·융합·코딩
다양한 형식의 창의·융합·코딩 미션을 해결하며 한 주의
중요 어휘를 확인하고 다양한 배경지식을 넓힙니다.

친구들과 약속해요!

우리 같이 약속해요!

첫째, 하루하루 빠짐없이 꾸준히 공부하기!

둘째, 하루 독해 문제 끝까지 다 풀기!

셋째, 틀린 문제는 왜 틀렸는지 다시 한번 확인하기!

약속하는 사람 _____

쉽고 재미있는
『똑똑한 하루 독해』로
독해 공부를 시작해 봐요.

똑 똑 한

하루
독해

NYANGI

2 단계
A
1~2학년

1-1 다음 문장의 빈칸에 알맞은 낱말을 보기 에서 찾아 쓰세요.

보기

커다란   좁다란

쑤~욱, 마침내 _____ 무가
뽑혔지.

☐☐☐

1-2 다음 문장에서 밑줄 그은 낱말을 바르게 고친 것에 ◯표를 하세요.

> 내 짝꿍 아영이는 눈이 <u>커다라타</u>.

(1) 커다랐다 (   )

(2) 커다랗다 (   )

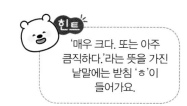

힌트

'매우 크다. 또는 아주
큼직하다.'라는 뜻을 가진
낱말에는 받침 'ㅎ'이
들어가요.

▶ 정답 및 해설 8쪽

2-1 다음 문장에 넣을 바른 낱말을 골라 ◯표를 하세요.

'괴발개발'이란 글씨가 사람이 쓴 것처럼 보이지 않고 고양이나 개가 마구 (발고 , 밟고) 지나다닌 것처럼 아무렇게나 쓰인 것을 말하는 것이랍니다.

2-2 **친구가 쓴 문장** 에서 밑줄 그은 낱말을 바르게 고쳐 쓰세요.

친구가 쓴 문장

개미를 <u>밝지</u> 않으려고 조심조심 걸었다.

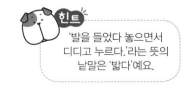

힌트

'발을 들었다 놓으면서 디디고 누르다.'라는 뜻의 낱말은 '밟다'예요.

밝 지 ➡ ☐☐

이야기 (문학)

커다란 무

공부한 날 　　 월 　　 일

이야기를 읽고 깨달음을 얻어라!

이야기 「커다란 무」를 읽으며 인물들이 어떻게 커다란 무를 뽑았는지
살펴보아요. 그리고 인물들의 행동을 통해 어떤 깨달음을 얻을 수 있는지
생각해 보아요.

◉ 오늘 공부할 글과 그림을 미리 보고, 알맞은 낱말을 각각 찾아 표시하세요.

할아버지가 무씨 한 알을 심었어.
얼마 뒤, 무는 쑥쑥 자라 정말로 엄청나게
커다란 무가 되었어.
"이제 무를 뽑아야겠군."

1 '갑자기 많이 커지거나 자라는 모양.'이라는 뜻의 낱말을 찾아 ◯표를 하세요.

2 '짐작이나 생각보다 정도가 아주 심하게.'라는 뜻의 낱말을 찾아 △표를 하세요.

'무'에 대해
알아보기

커다란 무

할아버지가 무씨 한 알을 심었어.

얼마 뒤, 무는 쑥쑥 자라 정말로 엄청나게 커다란 무가 되었어.

"이제 무를 뽑아야겠군."

할아버지는 무를 잡아당겼어. 그런데 커다란 무는 조금도 뽑히지 않았지.

"할멈, 나 좀 도와줘!"

할아버지는 할머니와 함께 무를 잡아당겼어.

"영차!"

그래도 무는 뽑히지 않았단다.

"멍멍아, 야옹아, 우리 좀 도와줘!"

할아버지와 할머니와 멍멍이와 야옹이는 다시 무를 잡아당겼어.

"영차, 영차!"

하지만 무는 조금밖에 뽑히지 않았어.

"찍찍아, 우리 좀 도와줘!"

마지막으로 할아버지, 할머니, 멍멍이, 야옹이

그리고 찍찍이가 모두 함께 무를 잡아당겼어.

"영차, 영차, 영~차!"

쑤~욱, 마침내 커다란 무가 뽑혔지.

"만세! 만세! 우리가 무를 뽑았다."

어휘 풀이

▼ **알** 작고 둥근 열매나 곡식의 낱개를 세는 말. **예** 과일 가게에서 사과 두 알을 샀다.

▼ **쑥쑥** 갑자기 많이 커지거나 자라는 모양. **예** 잘 먹고 잘 잤더니 키가 쑥쑥 자랐다.

▼ **엄청나게** 짐작이나 생각보다 정도가 아주 심하게. **예** 밥을 안 먹었더니 배가 엄청나게 고프다.

1
이해

할아버지가 심어서 키운 것은 무엇인지 골라 ○표를 하세요.

무   당근

1주
1일

2
이해

서술형

할아버지가 무 뽑는 일을 도와준 인물들을 찾아 빈칸에 순서대로 쓰세요.

할아버지와 할머니가 함께 무를 잡아당겼다. → 할아버지와 할머니, 멍멍이, (1)(   )가 함께 무를 잡아당겼다. → 할아버지와 할머니, 멍멍이, (2)(   ), (3)(   )가 모두 함께 무를 잡아당겼다.

3
유추

스스로 독해 해결!

인물들의 행동을 통해 깨달을 수 있는 것은 무엇인지 ○표를 하세요.

(1) 힘든 일은 하지 않는 것이 좋다. (   )

(2) 힘든 일도 함께하면 쉽게 할 수 있다. (   )

힌트
인물들이 커다란 무를 어떻게 뽑을 수 있었는지 살펴봐요.

4
요약

이 글에서 일어난 일을 정리하여 빈칸에 알맞은 말을 각각 쓰세요.

할아버지가 심은 ❶   한 알에서 커다란 무가 자랐다.

→ 할아버지는 혼자서 무를 잡아당겼지만 무는 뽑히지 않았다.

→ ❷   는 다른 인물들에게 도와 달라고 하였다.

→ 모두 함께 잡아당기니 마침내 커다란 무가 뽑혔다.

▶ 정답 및 해설 8쪽

1 다음 빈칸에 알맞은 낱말을 보기 에서 찾아 쓰세요.

> 보기
>
> **단** 짚, 땔나무, 채소 따위의 묶음을 세는 말. 예 시금치 한 <u>단</u>을 샀다.
>
> **닢** 납작한 물건을 세는 말. 예 가난한 흥부는 동전 한 <u>닢</u>도 없었다.
>
> **알** 작고 둥근 열매나 곡식의 낱개를 세는 말. 예 찐 옥수수를 한 <u>알</u> 떼어 먹었다.

할아버지가 무씨 한 □을 심었어.

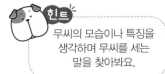

힌트
무씨의 모습이나 특징을 생각하며 무씨를 세는 말을 찾아봐요.

2 다음 만화를 보고, 낱말을 바르게 쓰지 <u>못한</u> 문장에 ×표를 하세요.

이 '무우' 정말 크지?

'무우'가 아니라 '무'가 바른 말이야.

(1) 쑥쑥 자라 정말로 엄청나게 커다란 <u>무</u>가 되었어. (   )

(2) "이제 <u>무우</u>를 뽑아야겠군." (   )

(3) 할아버지는 <u>무</u>를 잡아당겼어. (   )

(4) 그런데 커다란 <u>무</u>는 조금도 뽑히지 않았지. (   )

(5) 할아버지는 할머니와 함께 <u>무</u>를 잡아당겼어. (   )

똑똑한 하루 독해 게임

재미있는 독해 게임으로 독해력 쑥쑥

▶ 정답 및 해설 8쪽

● 개미 친구들이 자기 집을 찾고 있어요. 개미가 지고 있는 먹이에 있는 문장의 빈칸에 알맞은 낱말을 찾아 집에 가는 길을 각각 줄로 표시하세요.

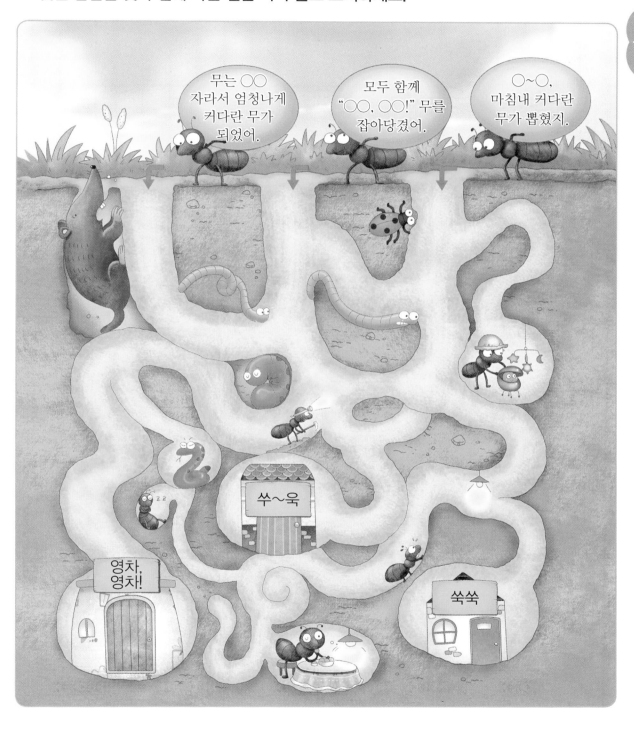

 알맞은 낱말을 찾아 길을 표시하며 「커다란 무」에 쓰인 **모양이나 소리를 흉내 내는 말**을 다시 익혀 봅니다.

2일

과학 (비문학)

소리 작은 방귀 냄새가 더 지독할까?

공부한 날   월   일

글에서 까닭을 찾아라!

「소리 작은 방귀 냄새가 더 지독할까?」를 읽으며 방귀 냄새가

소리와 상관이 없는 까닭을 찾아보세요.

"……때문"이라는 말이 들어 있는 문장에서 까닭을 찾을 수 있답니다.

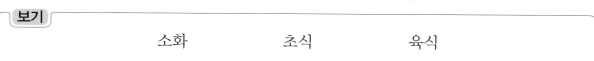
● 오늘 공부할 글의 그림을 미리 보고, 빈칸에 알맞은 낱말을 보기 에서 각각 찾아 쓰세요.

보기

소화   초식   육식

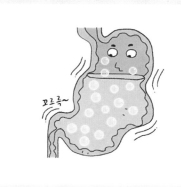

❶

먹은 음식물을 배 속에서 낱낱이 나눈 뒤에 영양분을 빨아들여 몸속에 거두어들임.

예 고기를 ○○시킬 때 나오는 가스는 냄새가 많이 난다.

나처럼 풀을 먹으면 방귀 냄새가 안 나는데……

❷

주로 풀이나 채소, 나물만 먹고 삶.

예 코끼리는 ○○ 동물이기 때문에 방귀 냄새가 거의 나지 않는다.

어흥! 나는야 방귀 냄새 대장!

❸

동물이 다른 동물의 고기를 먹이로 하는 일.

예 사자는 ○○ 동물이기 때문에 방귀 냄새가 지독하다.

방귀가 왜 나오는지
알아보기

소리 작은 방귀 냄새가 더 지독할까?

스스로 독해

방귀 냄새가 소리의
크기와 상관이 없는
까닭은 무엇일까요?
점선 부분을 따라 선을
그으며 읽어 보고 답
을 찾아보세요.

"소리가 큰 대포 방귀보다 소리가 작은 도둑 방귀 냄새가 더 지독하다."
라는 말이 있어. 정말 그럴까?

사실 방귀 냄새는 소리의 크기와 상관이 없어. 방귀 냄새는 무엇을 먹
었느냐에 따라 달라지기 때문이야. 보통 고기를 먹었을 때 뀌는 방귀가
훨씬 더 지독하단다. 고기를 소화시킬 때 나오는 가스에서 냄새가 많이
나서 방귀 냄새가 더 지독해지는 거야.

그래서 대개 초식 동물보다 육식 동물의 방귀 냄새가 더 지독해. 풀을
먹는 코끼리는 방귀를 자주 뀌지만 냄새는 거의 나지 않는대. 하지만 주
로 고기를 먹는 호랑이나 사자는 방귀를 잘 뀌지 않지만 한번 뀌었다 하
면 냄새가 무척 지독하다고 해.

나처럼 풀을
먹으면 방귀 냄새가
안 나는데…….

어흥! 나는야
방귀 냄새 대장!

어휘 풀이

▼**지독**|이를 지 至, 독 독 毒|**하다** 맛이나 냄새 따위가 해롭거나 참기 어려울 정도로 심하다.
  예 오래되어 상한 우유는 냄새가 지독하다.

▼**소화**|꺼질 소 消, 될 화 化| 먹은 음식물을 배 속에서 낱낱이 나눈 뒤에 영양분을 빨아들여 몸속에 거두어들
  임. 예 밥을 너무 많이 먹으면 소화가 잘 안된다.

▼**가스** 소화되면서 배 속에 생기는, 모양이 없고 떠서 돌아다니는 물체. 예 배에 가스가 찼다.

▼**초식**|풀 초 草, 먹을 식 食| 주로 풀이나 채소, 나물만 먹고 삶. 예 토끼는 초식 동물이다.

▼**육식**|고기 육 肉, 먹을 식 食| 동물이 다른 동물의 고기를 먹이로 하는 일. 예 호랑이는 육식 동물이다.

1
어휘

다음 밑줄 그은 '큰'과 뜻이 반대인 낱말을 이 글에서 찾아 빈칸에 쓰세요.

소리가 큰 대포 방귀 ⟷ 소리가 〔   〕 도둑 방귀

1주 2일

2
이해

스스로 독해

방귀 냄새가 소리의 크기와 상관이 없는 까닭은 무엇인가요? (   )

① 방귀는 냄새가 나지 않기 때문이다.

② 방귀를 뀔 때 소리가 나지 않기 때문이다.

③ 방귀 냄새는 소리가 클수록 지독하기 때문이다.

④ 방귀 냄새는 소리가 작을수록 지독하기 때문이다.

⑤ 방귀 냄새는 무엇을 먹었느냐에 따라 달라지기 때문이다.

3
이해

서술형

고기를 먹었을 때 뀌는 방귀가 훨씬 더 지독한 까닭은 무엇인지 쓰세요.

고기를 소화시킬 때 ＿＿＿＿＿＿＿＿＿＿＿＿＿＿＿＿＿＿＿
방귀 냄새가 더 지독해지는 것이다.

힌트
고기를 소화시킬 때 어떤 일이
일어난다고 하였는지 찾아봐요.

4
요약

이 글의 중요한 내용을 정리하여 빈칸에 알맞은 말을 각각 쓰세요.

소리 작은 방귀 냄새가 더 지독할까?

❶ 〔   〕 냄새는 무엇을 먹었느냐에 따라 달라진다.

↓

방귀 냄새는 소리의 ❷ 〔   〕 와 상관이 없다.

1 다음 빈칸에 알맞은 낱말을 보기 에서 각각 찾아 쓰세요.

> 보기
>
> 육식   초식

(1) 풀을 먹고 사는 🐑 과 🦌 은 [   ] 동물이다.

양   사슴

(2) 고기를 먹고 사는 🦁 와 🐆 는 [   ] 동물이다.

사자   치타

2 다음 중 낱말을 맞춤법에 맞게 쓴 문장에 ○표를 하고, 따라 써 보세요.

(1)

방	귀	를	∨	뀌	다	.	(		)

(2)

방	구	를	∨	꾸	다	.	(		)

↓

맞춤법에 맞는 문장 따라 쓰기				∨			.

힌트
잘못 쓰기 쉬운 낱말에
주의하며 바른 문장을 골라요.

● 글에서 읽은 방귀 냄새에 대한 내용을 떠올리며 다음 그림을 보고 알맞은 말에 각각 ◯표
를 하세요.

 이 그림에서 고양이가 병아리를 물고 달아나고 있어요. 병아리를 잡아먹으려는
것을 보니, 이 고양이는 (1)(육식 , 초식) 동물인가 봐요. 그러면 이 고양이도 방
귀를 뀌면 냄새가 (2)(지독하겠네요 , 나지 않겠네요).

 「소리 작은 방귀 냄새가 더 지독할까?」의 내용을 떠올리며 그림의 내용을 이해한 다음 **글의 내용에서 알게 된 사실을 적용**
해 봅니다.

동시 (문학)

작은 것

공부한 날   월   일

시에 숨어 있는 뜻을 찾아라!

동시 「작은 것」을 읽고 시에 숨어 있는 뜻을 찾아보세요.

시의 내용과 관련된 경험을 떠올려 보고 시의 표현이 무엇을 뜻하는지

생각하며 읽어 보면 시에 숨어 있는 뜻을 찾을 수 있어요.

똑똑한 하루 독해 미리 보기

● 오늘 공부할 글의 그림을 미리 보고, 빈칸에 알맞은 낱말을 각각 찾아 쓰세요.

마당   거울   놀이터   웅덩이

❶ ☐☐ 가 작아도 하늘, 구름, 별이 삽니다.
└▷ 움푹 파여 물이 괴어 있는 곳.

❷ ☐☐ 이 좁아도 새, 매미, 바람이 옵니다.
└▷ 집의 앞이나 뒤에 평평하게 닦아 놓은 땅.

작은 것이 이렇게 많은 것들을 품을 수 있는 까닭은 무엇일까요?

작은 것

황베드로

스스로 독해

작은 것이 많은 것을 품을 수 있는 까닭은 무엇일까요? 시의 점선 부분을 따라 선을 그으며 읽어 보고 답을 생각해 보세요.

웅덩이가 작아도
흙 가라앉히면

하늘 살고
구름 살고
별이 살고.

마당이 좁아도
나무 키워 놓으면

새가 오고
매미 오고
바람이 오고.

어휘 풀이

▼ **웅덩이** 움푹 파여 물이 괴어 있는 곳. 예 비가 내리니 운동장에 빗물이 고여 웅덩이가 생겼다.

▼ **가라앉히면** 물 따위에 떠 있거나 섞여 있는 것을 밑바닥으로 내려앉게 하면.
예 흙탕물을 가라앉히면 맑은 물이 된다.

▼ **마당** 집의 앞이나 뒤에 평평하게 닦아 놓은 땅. 예 마당에 꽃을 심었다.

▼ **매미** 1.2~8센티미터 정도의 몸에 투명한 날개가 있고, 여름에 수컷이 나무
에 붙어 '맴맴' 소리를 내는 곤충.

▲ 매미

▶ 정답 및 해설 10쪽

1
이해

이 시에 나타난 '작은 것'은 무엇무엇인가요? (   )

① 해   ② 마당   ③ 웅덩이
④ 달   ⑤ 바람

서술형

2
이해

이 시에서 웅덩이에 흙을 가라앉히고, 마당에 나무 키워 놓으면 어떻게 된다고 하였는지 쓰세요.

> 웅덩이가 작아도 흙 가라앉히면 _____, _____, _____이 살고, 마당이 좁아도 나무 키워 놓으면 새, 매미, 바람이 온다.

3
유추

이 시를 읽고 떠올리기 알맞은 경험에 ○표를 하세요.

(1) 좁은 마당의 나무에서 매미를 보았던 경험 (   )

(2) 운동장에서 달리기를 하다가 넘어져서 속상했던 경험 (   )

힌트
시의 장면이나 내용과 관련된 경험을 떠올려야 해요.

스스로 독해 해결!

4
요약

이 시의 숨은 뜻을 생각하며 내용을 정리하여 빈칸에 알맞은 말을 각각 쓰세요.

> 작은 ❶ [ ][ ] 와 좁은 ❷ [ ][ ] 은 하찮아 보이지만, 웅덩이의 흙 을 가라앉히거나 마당에 나 무 를 키워 놓으면 온갖 아름다운 것들을 담을 수 있다.

1 보기 를 보고 뜻이 반대인 낱말에 대해 알아보세요. 그리고 다음 낱말과 뜻이 반대인 낱말을 각각 찾아 선으로 이으세요.

(1) 웅덩이가 작아도

┗→ 작다 •

• ① 넓다

(2) 마당이 좁아도

┗→ 좁다 •

• ② 크다

2 다음 보기 를 보고, 다음 낱말을 소리 나는 대로 쓰세요.

보기

흙 → [흑]

흙도 → [흑또]

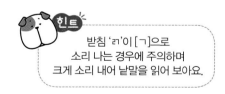

힌트

받침 'ㄺ'이 [ㄱ]으로
소리 나는 경우에 주의하며
크게 소리 내어 낱말을 읽어 보아요.

(1) 닭 → [   ]

(2) 읽 다 → [따]

(3) 맑 지 → [찌]

▶ 정답 및 해설 10쪽

● 시 「작은 것」을 읽고 알 수 있는 사실을 확인해 보고 과학 실험을 해 볼까요?

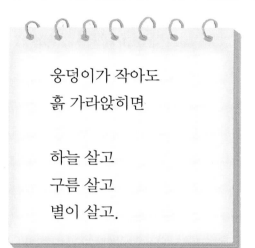

웅덩이가 작아도
흙 가라앉히면

하늘 살고
구름 살고
별이 살고.

→ 작은 웅덩이의 흙을 가라앉히니 물이 맑아졌어요. 맑아진 웅덩이의 물에 하늘과 구름과 별이 비치게 되었어요.

비커 안의 흙탕물을 맑게 하려면 어떻게 해야 할까요? 알맞은 것에 ○표를 하세요.

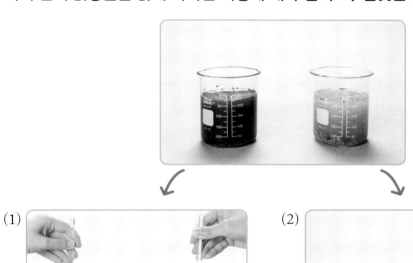

(1)

유리 막대로 비커 안의
물을 젓습니다.

(   )

(2)

가만히 놓아두어 흙을
가라앉힙니다.

(   )

 시 「작은 것」에서 웅덩이 안에 하늘, 구름, 별이 산다고 한 뜻을 떠올리며 물을 맑게 하는 과학 실험을 해 봅니다.

4일

언어 (비문학)

못 쓴 글씨는 '괴발개발'

공부한 날　　　월　　　일

글에서 어려운 낱말의 뜻을 찾아라!

'괴발개발'이라는 낱말을 본 적이 있나요?

이렇게 처음 보는 어려운 낱말의 뜻은 국어사전을 통해 찾을 수도 있지만,

글 내용에 설명되어 있기도 해요.

글에서 어려운 낱말의 뜻을 찾아보아요.

🔵 오늘 공부할 글의 그림을 미리 보고, 빈칸에 알맞은 낱말을 각각 찾아 쓰세요.

괴	뫼	개

❶ '⬜'는 '고양이'의 옛말로, '괴발'은 '고양이의 발'을 뜻하는 것이지요.
  ↳ '고양이'를 이르는 말.

'개발'은 '❷⬜의 발'이라는 뜻이지요.
  ↳ 냄새를 잘 맡고 귀가 매우 밝으며 영리하고 사람을 잘 따르는 동물.

그런데 왜 '괴발개발'이 못 쓴 글씨를 나타내는 말이 되었을까요?

'괴발개발'처럼 재미있는 우리말 더 알아보기

못 쓴 글씨는 '괴발개발'

스스로 독해

'괴발개발'의 뜻은 무엇일까요? 점선 부분을 따라 선을 그으며 읽어 보고 답을 찾아보세요.

▲ 고양이의 발

▲ 개의 발

'괴발개발'의 뜻은 '글씨를 되는대로 아무렇게나 써 놓은 모양을 이르는 말.'이에요. '괴'는 고양이의 옛말로, 'ㄱ괴발'이라고 하면 '고양이의 발'을 뜻하는 것이지요. '개발'은 '개의 발'이라는 뜻이에요. 즉 '괴발개발'이란 글씨가 사람이 쓴 것처럼 보이지 않고 고양이나 개가 마구 밟고 지나다닌 것처럼 아무렇게나 쓰인 것을 말하는 것이랍니다.

'괴발개발'과 뜻이 비슷한 말로 '개발새발'이 있어요. '개발새발'이란 '개의 발과 새의 발.'이라는 말로, '괴발개발'처럼 못 쓴 글씨를 뜻하는 말이지요. 이렇게 못 쓴 글씨를 이르는 말에는 사람이 쓴 글씨가 아니라 고양이, 개, 새 등이 발로 쓴 글씨라고 놀리는 뜻이 담겨 있어요.

어휘 풀이

▼ **되는대로** 아무렇게나 함부로. 예 가방에 책을 <u>되는대로</u> 넣었더니 책이 구겨졌다.

▼ **괴** '고양이'를 이르는 말. 예 <u>괴</u> 목에 방울을 달았다.

▼ **마구** 아무렇게나 함부로. 예 아무것이나 <u>마구</u> 먹었다가 배탈이 났다.

▼ **놀리는** 짓궂게 굴거나 흉을 보거나 웃음거리로 만드는. 예 누나는 동생을 <u>놀리는</u> 노래를 불렀다.

1

어휘

이 글에서 설명한 '괴발개발'의 뜻을 쓰세요.

글씨를 _____ 모양을

이르는 말이다.

2

이해

다음 사진의 ❶~❸ 중, ㉠'괴발'의 뜻을 나타내는 부분에 ◯표를 하세요.

3

어휘

'괴발개발'과 뜻이 비슷한 말에 ◯표를 하세요.

(1) 개발새발 (   )

(2) 노발대발 (   )

힌트
글에서 '괴발개발'과 뜻이 비슷한 말을 찾아봐요. '노발대발'은 몹시 화를 내는 것을 뜻하는 말이에요.

4

요약

이 글의 중심 내용을 정리하여 빈칸에 알맞은 말을 각각 쓰세요.

'괴발'은 '❶ ▨▨▨▨ 의 발'을 뜻하고, '개발'은 '개의 발'을 뜻한다.

'❷ ▨▨▨▨▨ '은 고양이나 개가 마구 밟고 지나다닌 것처럼 글씨

를 되는대로 아무렇게나 써 놓은 모양을 이르는 말이다.

1 다음을 보고, 이 낱말의 뜻을 잘 이해하고 말한 친구에게 ○표를 하세요.

괴발개발
글씨를 되는대로 아무렇게나
써 놓은 모양을 이르는 말.

괴발개발 쓴
글씨가 잘 쓴
글씨로구나.
우주

아니야. 괴발개발
쓴 글씨는 못 쓴
글씨라고.
예서

2 다음 중 서로 뜻이 비슷한 낱말이 있는 풍선을 두 가지 찾아 색칠하세요.

마구

마침

되는대로

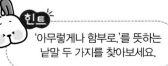

힌트
'아무렇게나 함부로.'를 뜻하는
낱말 두 가지를 찾아보세요.

● '괴발개발'과 같이 다른 동물의 발과 관련 있는 낱말을 더 알아보고, 다음 문장에 알맞은 낱말을 각각 골라 ◯표를 하세요.

까 치 발

발뒤꿈치를 든 발.
㉠ 키가 작은 철우는 칠판에 글씨를 쓰느라고 까치발을 들었다.

오 리 발

잘못을 해 놓고 그 일과 관계없는 것처럼 꾸미는 태도.
㉠ 닭 잡아먹고 오리발 내밀다.

 짝과 키를 재던 우빈이는 자기가 더 커 보이려고 (1)(까치발 , 오리발)을 들었어 요. 그러고는 따지는 친구에게 아니라고 (2)(까치발 , 오리발)을 내밀었지요.

 「못 쓴 글씨는 '괴발개발」에서 고양이와 개의 발이라는 뜻의 낱말이 전혀 다른 뜻을 나타내었던 것을 생각하며 **다른 동물들의 발이 또 다른 뜻으로 쓰이는 경우**를 알아봅니다.

강아지를 찾습니다!

공부한 날   월   일

특징을 설명하는 내용을 읽고 대상을 찾아라!

잃어버린 강아지를 찾는 전단을 보고 강아지를 찾아봐요.
강아지의 모습 등의 특징을 설명하는 내용을 잘 읽어 보면 어떤 강아지를
찾는지 알 수 있어요.

● 오늘 공부할 글에서 찾는 강아지 그림을 미리 보고, 빈칸에 알맞은 낱말을 보기 에서 각각 찾아 쓰세요.

보기

실종　　최종　　종종대다　　쫑긋하다　　따르다　　딸리다

❶

입술이나 귀 따위가 빳빳하게 세워져 있거나 뾰족이 내밀려 있다.
예 강아지의 귀가 ○○○○.

❷

좋아하거나 존경하여 가까이 좇다.
예 강아지가 사람을 잘 ○○○.

❸

흔적 없이 사라져서 어디에 있는지, 죽었는지 살았는지를 알 수 없게 됨.
예 강아지가 ○○되었다.

스스로 독해

잃어버린 강아지는 어떤 특징이 있나요? 점선 부분을 따라 선을 그으며 읽어 보세요.

강아지를 찾습니다!

꼭 ▾사례하겠습니다!
이 강아지를 보신 분은 꼭 연락해 주세요.
연락처: 010-○○○○-○○○○

- 이름: 탄이(요크셔테리어)
- 나이: 1살
- 특징: 크기는 20센티미터 정도입니다. 털은 전체적으로는 검은색이고, 얼굴과 귀, 앞발과 뒷발 쪽만 갈색 털입니다. 귀가 ▾쫑긋하고 꼬리가 짧습니다. 눈과 코가 모두 검은색입니다. 사람을 잘 ▾따릅니다.
- ▾실종 장소와 시기: 금빛 공원 근처, 3월 24일 일요일

※ 가족 같은 강아지입니다. 꼭 찾을 수 있도록 도와주세요!

어휘 풀이

- ▾**사례**|사례할 사 謝, 예도 례 禮|　말이나 행동, 선물 따위로 상대에게 고마운 뜻을 나타냄.
  - 예 일을 도와준 사례로 식사를 대접했다.
- ▾**쫑긋하고**　입술이나 귀 따위가 빳빳하게 세워져 있거나 뾰족이 내밀려 있고.
  - 예 토끼는 귀가 쫑긋하고 눈이 빨갛다.
- ▾**따릅니다**　좋아하거나 존경하여 가까이 좇습니다. 예 학생이 선생님을 잘 따릅니다.
- ▾**실종**|잃을 실 失, 자취 종 踪|　흔적 없이 사라져서 어디에 있는지, 죽었는지 살았는지를 알 수 없게 됨.
  - 예 옆집 고양이가 실종되었다.

1 잃어버린 강아지에 대한 설명으로 알맞지 <u>않은</u> 것에 ×표를 하세요.

이해

(1) 이름이 '탄이'이다. (   )

(2) 1살인 요크셔테리어이다. (   )

(3) 사람을 잘 따르지 않는다. (   )

(4) 귀가 쫑긋하고 꼬리가 짧다. (   )

2 서술형

이해 언제 어디에서 강아지를 잃어버렸는지 쓰세요.

3월 (1) _____에 (2) _____ 근처에서
잃어버렸다.

3 스스로 독해 해결!

유추 강아지의 특징에 대한 설명을 보고, 잃어버린 강아지를 찾아 ○표를 하세요.

(1) (   )　　(2) (   )　　(3) (   )　　(4) (   )

힌트
강아지의 생김새에 대한
설명을 자세히 읽어 봐요.

4 이 글을 쓴 까닭을 생각하며 내용을 정리하여 빈칸에 알맞은 말을 각각 쓰세요.

요약

1살 요크셔테리어 강아지 ❶ _____를 잃어버렸습니다. 강아지의 특징

과 실종 장소, 시기를 읽어 보시고 이 강아지를 보신 분은 ❷ _____해 주

세요. 꼭 사　례 하겠습니다.

1 다음 빈칸에 알맞은 낱말을 보기 에서 각각 찾아 쓰세요.

보기

짧다 잇닿아 있는 공간이나 물체의 두 끝의 사이가 가깝다.
　　예 군인인 삼촌은 머리가 <u>짧다</u>.

쫑긋하다 입술이나 귀 따위가 빳빳하게 세워져 있거나 뾰족이 내밀려 있다.
　　예 이 산은 봉우리가 <u>쫑긋하다</u>.

(1)

귀	가	∨						.

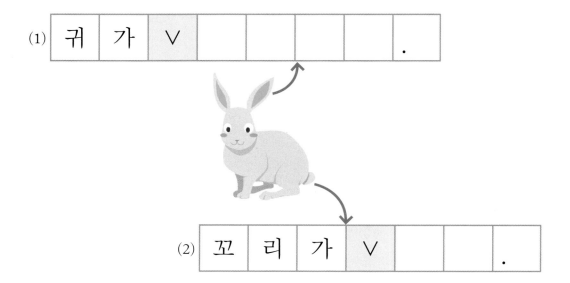

(2)

꼬	리	가	∨			.

2 다음 그림을 보고 두 문장에 모두 알맞은 낱말에 각각 ○표를 하세요.

(1) 개가 사람을 잘 (따른다 , 따진다).

(2) 물을 (따른다 , 따진다).

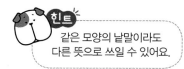

힌트
같은 모양의 낱말이라도
다른 뜻으로 쓰일 수 있어요.

◉ 강아지를 찾는 글을 읽고 강아지를 찾아보았지요? 이번에는 동생을 찾는 글을 읽고, 다음 그림에서 동생을 찾아 ○표를 하세요.

 시장에 갔다가 동생을 잃어버렸어요. 내 동생을 찾아 주세요! 내 동생은 6살 남자아이예요. 보라색 바지에 갈색 티셔츠를 입고 있어요. 티셔츠의 팔 부분은 주황색이에요. 윗부분은 주황색이고 안쪽은 파란색인 모자를 쓰고 있어요. 눈이 동그란 내 동생은 어디에 있을까요?

 「강아지를 찾습니다!」에서 강아지의 특징을 설명하는 내용을 읽고 강아지를 찾아보았던 방법을 떠올리며 **설명하는 내용에 나타난 특징**을 가진 대상을 그림에서 찾아봅니다.

[1~3] 다음 글을 읽고, 물음에 답하세요.

> 할아버지가 무씨 한 알을 심었어.
>
> 얼마 뒤, 무는 ☐ㄱ☐ 자라 정말로 엄청나게 커다란 무가 되었어.
>
> "이제 무를 뽑아야겠군."
>
> 할아버지는 무를 잡아당겼어. 그런데 커다란 무는 조금도 뽑히지 않았지.
>
> "할멈, 나 좀 도와줘!"
>
> 할아버지는 할머니와 함께 무를 잡아당겼어.
>
> "영차!"
>
> 그래도 무는 뽑히지 않았단다.
>
> "멍멍아, 야옹아, 우리 좀 도와줘!"
>
> 할아버지와 할머니와 멍멍이와 야옹이는 다시 무를 잡아당겼어.

1 할아버지는 할머니에게 왜 도와 달라고 하였나요? 알맞은 낱말을 빈칸에 쓰세요.

- ☐☐☐ 가 조금도 뽑히지 않아서

2 이 글에 나온 인물들이 다 함께 한 행동은 무엇인가요? (　　　)

① 무씨를 심었다.

② 커다란 무를 나누어 먹었다.

③ 커다란 무를 팔러 시장에 갔다.

④ 커다란 무를 뽑으려고 잡아당겼다.

⑤ 커다란 무를 뽑으며 노래를 불렀다.

3 ☐ㄱ☐ 안에 들어갈 낱말로 알맞은 것은 무엇인가요? (　　　)

① 훨훨　　② 쨍쨍　　③ 쑥쑥

④ 꿀꺽　　⑤ 방긋

[4~5] 다음 글을 읽고, 물음에 답하세요.

> 사실 방귀 냄새는 소리의 크기와 상관이 없어. 방귀 냄새는 무엇을 먹었느냐에 따라 달라지기 때문이야. 보통 고기를 먹었을 때 뀌는 방귀가 훨씬 더 지독하단다. 고기를 소화시킬 때 나오는 가스에서 냄새가 많이 나서 방귀 냄새가 더 지독해지는 거야.
>
> 그래서 대개 초식 동물보다 육식 동물의 방귀 냄새가 더 지독해.

4 방귀 냄새는 무엇에 따라 달라지는지 알맞게 말한 친구의 이름을 쓰세요.

> 민준: 소리의 크기에 따라 달라져.
>
> 효재: 무엇을 먹었느냐에 따라 달라져.

(　　　　　　　)

5 육식 동물의 방귀 냄새가 더 지독한 까닭은 무엇인가요? 알맞은 낱말을 골라 ◯표를 하세요.

- (풀 , 고기)을/를 소화시킬 때 나오는 가스에서 냄새가 많이 나기 때문이다.

6 다음 시의 숨은 뜻으로 알맞은 것을 골라 ◯표를 하세요.

> 웅덩이가 작아도
> 흙 가라앉히면
>
> 하늘 살고
> 구름 살고
> 별이 살고.

(1) 작은 웅덩이는 하찮다.　　(　　)

(2) 웅덩이는 작을수록 좋다.　(　　)

(3) 작은 웅덩이도 많은 것을 품을 수 있다.

(　　)

[7~8] 다음 글을 읽고, 물음에 답하세요.

'괴발개발'의 뜻은 '글씨를 되는대로 아무렇게나 써 놓은 모양을 이르는 말.'이에요. '괴'는 고양이의 옛말로, '괴발'이라고 하면 '고양이의 발'을 뜻하는 것이지요. '개발'은 '개의 발'이라는 뜻이에요. 즉 '괴발개발'이란 글씨가 사람이 쓴 것처럼 보이지 않고 고양이나 개가 마구 밟고 지나다닌 것처럼 아무렇게나 쓰인 것을 말하는 것이랍니다.

7 '괴발'과 '개발'이 뜻하는 것을 찾아 선으로 이으세요.

(1) 괴발　・　　・① 　개의 발

(2) 개발　・　　・② 　고양이의 발

8 무엇을 보고 '괴발개발'이라고 하는지 알맞은 것에 ◯표를 하세요.

(1) 못 쓴 글씨　　　　　(　　)

(2) 맛없는 음식　　　　　(　　)

(3) 못 그린 그림　　　　　(　　)

[9~10] 다음 글을 읽고, 물음에 답하세요.

> • 이름: 탄이(요크셔테리어)
> • 나이: 1살
> • 특징: 크기는 20센티미터 정도입니다. 털은 전체적으로 검은색이고, 얼굴과 귀, 앞발과 뒷발 쪽만 갈색 털입니다. 귀가 쫑긋하고 꼬리가 ㉠짧습니다. 눈과 코가 모두 검은색입니다. 사람을 잘 따릅니다.
> • 실종 장소와 시기: 금빛 공원 근처, 3월 24일 일요일

9 잃어버린 강아지의 특징으로 알맞지 <u>않은</u> 것은 무엇인가요? (　　)

① 꼬리가 짧다.

② 귀가 쫑긋하다.

③ 사람을 잘 따른다.

④ 털이 전체적으로 흰색이다.

⑤ 눈과 코가 모두 검은색이다.

10 ㉠'짧습니다'와 뜻이 반대인 낱말은 무엇인가요? (　　)

① 깁니다　　　　② 작습니다

③ 좁습니다　　　④ 많습니다

⑤ 두껍습니다

창의

1 다음 만화를 읽고, 1주차에서 배운 낱말을 떠올려 어휘 퀴즈에 알맞은 낱말을 빈칸에 각각 쓰세요.

❶ '짐작이나 생각보다 정도가 아주 심하게.'를 뜻하는 말은? →

❷ '말이나 행동, 선물 따위로 상대에게 고마운 뜻을 나타냄.'을 뜻하는 말은? →

❸ '음식을 천천히 꼭꼭 씹어 먹으면 ○○가 잘된다.'의 빈칸에 들어갈 알맞은 말은?

→

코딩 2 은결이가 잃어버린 강아지를 찾으러 가요. 방귀 냄새가 지독한 육식 동물을 피해 갈 수 있도록 카드의 빈칸에 알맞은 숫자를 쓰세요.

❶ 오른쪽으로 **2** 칸 간다. →

❷ 아래쪽으로 □ 칸 간다. ↓

❸ 오른쪽으로 □ 칸 간다. →

❹ 아래쪽으로 □ 칸 간다. ↓

▶ 정답 및 해설 13쪽

융합

3 동물들이 할아버지를 도와 커다란 무를 뽑고 있어요. 동물들이 늘어선 규칙에 따라 에는 어떤 동물이 와야 할지 알맞은 동물을 골라 ◯표를 하세요.

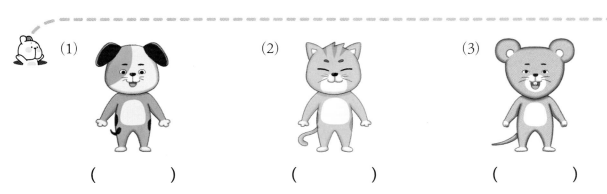

(1) (   )

(2) (   )

(3) (   )

창의

4 다음 안내문을 보고 알맞은 말에 각각 ○표를 하세요.

생활 어휘

213동 1-3라인 2호기	
※ 비상시 호출 버튼을 누르세요.	
비상 연락 구조 번호	
119 구조대	국번 없이 119
천재 엘리베이터(주)	1234-□□□□
관리 사무소	(주간) 987-○○○○
	(야간) 976-△△△△

이건 엘리베이터 안에 붙어 있는 안내문이네.

안내문의 내용을 잘 이해하고 비상시에 침착하게 행동해야 해.

애들아! 호출 버튼은 아무 때나 누르면 안 돼! 호출 버튼은 엘리베이터가 고장이 났을 때처럼 중요하고 (1)(급한 , 느긋한) 일이 일어났을 때 누구를 (2)(부르기 , 따르기) 위해 누르는 거야. 비상시에는 호출 버튼을 누르거나 적혀 있는 구조 번호로 전화를 해. 그런데 관리 사무소는 (3)(낮과 밤 , 여름과 겨울)에 전화를 받는 곳이 다르니 주의해.

어휘 풀이

▼ **비상시**|아닐 비 非, 항상 상 常, 때 시 時| 뜻밖의 중요하고 급한 일이 일어난 때.

　　예 비상시를 대비해 안전 훈련을 하였다.

▼ **호출**|부를 호 呼, 날 출 出| 전화 따위로 신호를 보내 상대편을 부르는 일. 예 긴급 호출을 하다.

▼ **주간**|낮 주 晝, 사이 간 間| 날이 밝고 나서 해가 지기 전까지의 낮 동안.

▼ **야간**|밤 야 夜, 사이 간 間| 해가 진 뒤부터 다시 해가 뜨기 전까지의 밤 동안.

창의 5
생활 한자

失(잃을 실) 자에 대해 알아보고, 다음 물음에 답하세요.

失 자는 손에서 무엇이 떨어지는 모습을 그려서 '잃다'라는 뜻을 표현한 글자예요.

(1) 失 자가 들어간 낱말을 알아보고, 한자의 음을 쓰세요.

① 공부를 열심히 했지만 失手를 하여 문제를 틀리고 말았다.

☐ 수

힌트
38쪽에서 공부한 '실종'에 쓰인 失(잃을 실) 자에 대해 알아봐요.

② 친구가 생일잔치에 초대해 주지 않아서 失望을 했다.

☐ 망

(2) 한자 성어의 뜻을 알아보고, 빈칸에 알맞은 한자를 쓰세요.

小 貪 大 失
작을 소 탐할 탐 큰 대 잃을 실

작은 것을 탐하다가 큰 것을 잃음.

· 小 貪 大 ☐ 이라고 작은 것을 얻으려다가 큰 것을 놓칠 수 있다.

2주에는 무엇을 공부할까? ❷

1-1 다음 문장의 빈칸에 들어갈 낱말로 알맞은 것에 ◯표를 하세요.

전기밥솥은 가마솥의 장점을 살려 만든

　　　　　예요.

(1) 재료 (　　　　　)

(2) 도구 (　　　　　)

1-2 　알림장　에서 밑줄 그은 낱말을 바르게 고쳐 쓰세요.

알림장

● 준비물: 종이, 연필, 볼펜 등 글씨를 쓸 때
필요한 <u>가구</u>

힌트
'가구'는 집안 살림에
쓰는 기구인 옷장, 책상,
침대 등을 말해요.

가 구 ➡ ☐☐

▶ 정답 및 해설 14쪽

2-1 다음 문장에 넣을 바른 낱말을 골라 ◯표를 하세요.

곰을 만났을 때 죽은 척하면 진짜
(인사할까요 , 무사할까요)?

2-2 친구가 쓴 일기에서 밑줄 그은 낱말을 바르게 고친 것을 골라 ◯표를 하세요.

◯월 ◯일 화요일　날씨: 맑음

　찻길에서 교통사고가 났다. 다행
히 사람들은 모두 <u>위험했다</u>.

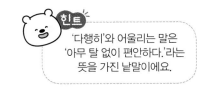

힌트

'다행히'와 어울리는 말은
'아무 탈 없이 편안하다.'라는
뜻을 가진 낱말이에요.

(1) 무사했다 (　　　)

(2) 무서웠다 (　　　)

이야기 (문학)

세상에서 제일 힘센 수탉

공부한 날   월   일

인물의 기분을 짐작해 보자!

「세상에서 제일 힘센 수탉」을 읽으며 인물의 기분이 어떠할지 짐작해 보세요.
인물이 어떤 상황에 처해 있는지 살펴보고 인물이 한 말이나 행동을 보면
인물의 기분을 짐작할 수 있어요. 인물과 비슷한 자신의 경험을 떠올려
그때 어떤 기분이었는지도 생각해 보면 좀 더 쉽게 짐작할 수 있어요.

● **오늘 공부할 글과 그림을 미리 보고, 알맞은 낱말을 각각 찾아 표시하세요.**

동네의 다른 수탉들은 세상에서 제일 힘센 수탉을 몹시 부러워했지. 젊은 암탉들도 그 수탉을 졸졸 따라다녔단다.

1 '남이 잘되는 것이나 좋은 것을 보고 자기도 그렇게 되고 싶어 했지.'라는 뜻의 낱말을 찾아 ○표를 하세요.

2 '작은 동물이나 사람이 자꾸 뒤를 따라다니는 모양.'을 나타내는 낱말을 찾아 △표를 하세요.

전체 이야기
듣기

세상에서 제일 힘센 수탉

이호백

스스로 독해

수탉의 기분은 어떻게 변해 갔을까요? 점선 부분을 따라 선을 그으며 읽고 답을 생각해 보세요.

힘자랑 대회에서 이 수탉을 이긴 닭은 하나도 없었단다. 수탉은 이제 이 동네에서 제일 힘센 수탉이 되었어. 아니지, 세상에서 제일 힘센 닭이 된 거야.

동네의 다른 수탉들은 세상에서 제일 힘센 수탉을 몹시 부러워했지. 젊은 암탉들도 그 수탉을 졸졸 따라다녔단다.

그러던 어느 날, 세상에서 제일 힘센 수탉보다 더 힘이 센 수탉이 동네에 나타났어. 그 뒤, 세상에서 가장 힘센 수탉은 동네에서 제일 술을 잘 마시는 수탉이 되었어. 술에 취하면, 자신이 젊었을 때 얼마나 힘이 세고 멋있었는지 큰 소리로 떠들어 대곤 했지.

또 세월이 흘렀어.

수탉은 자신이 점점 늙어 가고 있는 것을 느꼈단다. 울음소리도 예전처럼 우렁차게 나오지 않았어. 고기를 씹어도 잘 씹히지 않았고, 술도 많이 마실 수가 없었지.

어휘 풀이

▼**부러워했지** 남이 잘되는 것이나 좋은 것을 보고 자기도 그렇게 되고 싶어 했지.

  예 노래도 잘하고 달리기도 잘하는 반장을 모두들 부러워했지.

▼**졸졸** 작은 동물이나 사람이 자꾸 뒤를 따라다니는 모양. 예 동생은 항상 내 뒤를 졸졸 쫓아다닌다.

▼**세월**|해 세 歲, 달 월 月| 흘러가는 시간. 예 벌써 초등학교 2학년이 되다니 세월 참 빠르다.

▼**우렁차게** 소리의 울림이 매우 크고 힘차게. 예 나는 친구들 앞에서 우렁차게 발표했다.

1
유추

수탉이 힘자랑 대회에서 이겼을 때 어떤 기분이 들었을지 알맞은 것에 ◯표를 하세요.

(1)

(   )

(2)

(   )

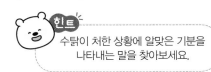
힌트
수탉이 처한 상황에 알맞은 기분을 나타내는 말을 찾아보세요.

2
이해

서술형

수탉보다 더 힘이 센 수탉이 나타났을 때, 수탉은 어떤 수탉이 되었는지 쓰세요.

세상에서 제일 힘센 수탉은 동네에서 제일 _____

_____이 되었다.

3
이해

늙어 가는 수탉에게 일어난 일로 알맞은 것을 골라 ◯표를 하세요.

(1) 고기가 잘 씹히지 않았다.   (   )

(2) 울음소리가 우렁차게 나왔다.   (   )

4
요약

이 글의 내용을 정리하여 빈칸에 알맞은 말을 각각 쓰세요.

수탉은 ❶ _____ 대회에서 이겨 세상에서 제일 힘센 수탉이 되었다. 그러나 더 힘이 센 수탉이 나타났고, 세월이 흘러 ❷ _____ 은 자신이 점점 늙어 가고 있는 것을 느꼈다.

1 맞춤법에 알맞은 낱말을 골라 ◯표를 하세요.

(1)

힘자랑 대회에서 (수닭 , 수탉)
이 이겼다.

(2)

젊은 (암닭 , 암탉)들이 졸졸
따라다녔다.

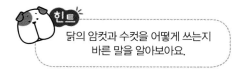
닭의 암컷과 수컷을 어떻게 쓰는지
바른 말을 알아보아요.

2 다음 문장에 가장 어울리는 기분을 나타내는 말을 찾아 각각 선으로 이어 보세요.

(1) 수탉은 동네에서 제일
힘센 수탉이 되었다.   •

• ①
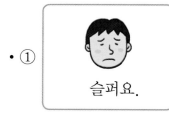
슬퍼요.

(2) 수탉은 점점 늙어 가는
것을 느꼈다.   •

• ②

화나요.

(3) 수탉의 먹이를 다른 수
탉이 뺏어 갔다.   •

• ③

기뻐요.

◉ 수탉과 암탉의 모습과 특징은 어떻게 다를까요? 다음을 보고 알맞은 말에 각각 ◯표를 하세요.

수컷(수탉)   암컷(암탉)

- 수탉은 암탉보다 몸집도 (1) (크고 , 작고) 깃털 색도 훨씬 더 화려해요. 또 닭의 이마에 붙어 있는 톱니 모양의 붉은 살 조각인 볏도 크며, 꼬리 깃털도 더 (2) (짧고 , 길고) 윤기가 나지요.

- 알을 낳는 것은 수탉이 아니라 암탉이에요. 암탉은 알을 낳은 후 새끼가 다 자라서 알을 깨고 나올 때까지 가슴과 배로 (3) (차갑게 , 따뜻하게) 품는답니다.

 「세상에서 제일 힘센 수탉」에 나오는 수탉의 모습을 떠올리며 **수탉과 암탉의 모습과 특징**에 대해 알아봅니다.

2일

사회 (비문학)

옛날 도구는 어떻게 변했을까?

공부한 날   월   일

무엇에 대해 설명하는지 찾아라!

「옛날 도구는 어떻게 변했을까?」를 읽고 옹기와 가마솥,

맷돌은 어떻게 변했는지 살펴보아요.

제목이나 그림, 사진 등을 보며 설명하려는 대상이 무엇인지 생각해 보고

대상의 무엇을 자세히 설명하는지 살펴보면 설명하는 내용을 잘 알 수 있어요.

◉ 오늘 공부할 글의 사진을 미리 보고, 빈칸에 알맞은 낱말을 보기 에서 각각 찾아 쓰세요.

보기

맷돌　　　　옹기　　　　장독대　　　　가마솥

❶ ☐☐

진흙으로 만들어 구운 그릇.
예 옛날에는 김치를 ○○에 담아 보관했다.

❷ ☐☐☐

아주 크고 우묵한 솥.
예 ○○○의 뚜껑은 수증기가 쉽게 빠져나가
는 것을 막아 준다.

❸ ☐☐

둥글넓적한 두 돌 사이에 곡식을 넣고 손잡
이를 돌려서 곡식을 가는 데 쓰는 기구.
예 ○○은 곡식을 갈아 준다.

옛날 도구와
오늘날 도구에 대해
더 알아보기

옛날 도구는 어떻게 변했을까?

스스로 독해

이 글에서 설명하려는
내용은 무엇일까요?
점선 부분을 따라 선
을 그으며 읽고 답을
생각해 보세요.

우리는 옛날 도구를 통해 조상들의 지혜를 엿볼 수 있어요. 그 지혜를 이어받아 오늘날의 생활에 맞는 도구가 많이 만들어졌지요.

김치냉장고는 작은 구멍으로 공기가 통하는 옹기의 장점을 살려 만들었어요. 김치냉장고 덕분에 장독대가 없는 집에서도 김치를 싱싱하게 보관할 수 있게 되었지요.

전기밥솥은 가마솥의 장점을 살려 만든 도구예요. 가마솥의 뚜껑은 쇠로 만들어져서 아주 무거워요. 그 때문에 뜨거운 수증기가 쉽게 빠져나가는 것을 막아 줘서 밥맛을 좋게 해 주지요. 전기밥솥은 이러한 가마솥의 원리를 이용한 거예요.

▲ 옛날 부엌의 모습

믹서는 곡식을 갈아서 먹게 해 주는 맷돌의 장점을 살려 만들었어요. 믹서는 ㉠맷돌을쓸때보다 시간과 힘이 적게 들지요. 하지만 곡식을 맷돌에 갈면 영양소가 살아 있다고 해서 아직도 맷돌을 사용하는 사람도 있답니다.

▲ 오늘날 부엌의 모습

어휘 풀이

▼**옹기**|항아리 옹 甕, 그릇 기 器| 진흙으로 만들어 구운 그릇.

▼**장독대**|장 장 醬, −, 돈대 대 臺| 장독 따위를 놓아두려고 뜰 안에 좀 높직하게 만들어 놓은 곳.

▼**가마솥** 아주 크고 우묵한 솥. **예** 어머니께서는 가마솥에 국을 끓이셨다.

▼**맷돌** 둥글넓적한 두 돌 사이에 곡식을 넣고 손잡이를 돌려서 곡식을 가는 데 쓰는 기구.

▼**영양소**|경영할 영 營, 기를 양 養, 본디 소 素| 탄수화물, 단백질, 비타민 등 생물의 성장과 에너지 공급을 위한 영양분이 들어 있는 물질. **예** 이 음식에는 영양소가 골고루 들어 있다.

▲ 옹기와 장독대

1 다음 중 옹기의 장점을 살려 만든 도구는 무엇인지 ○표를 하세요.

이해

(1) 믹서

(2) 김치냉장고

(3) 전기밥솥

힌트
옹기는 음식을 보관할 때
쓰는 그릇이에요.

2 ㉠을 바르게 띄어 쓴 것을 골라 ○표를 하세요.

문법

(1) | 맷 | 돌 | 을 | ∨ | 쓸 | 때 | 보 | 다 | ( )

(2) | 맷 | 돌 | 을 | ∨ | 쓸 | ∨ | 때 | 보 | 다 | ( )

3 서술형

맷돌보다 믹서의 좋은 점을 쓰세요.

이해

믹서는 맷돌보다 _____이 적게 든다.

4 스스로 독해 해결!

이 글에서 설명하는 내용을 정리하여 빈칸에 알맞은 말을 각각 쓰세요.

요약

김치냉장고	전기밥솥	믹서
❶ _____의 장점을 살려 만들었다.	❷ _____의 장점을 살려 만들었다.	❸ _____의 장점을 살려 만들었다.

→ 옛날 도구를 통해 조상들의 지혜를 엿볼 수 있다.

1 옛날 도구가 어떻게 변했을지 생각하며 맞춤법에 알맞은 낱말을 골라 ◯표를 하세요.

(1)

김치냉장고 덕분에 김치를 싱싱하게 보관할 수 있게 (되엇어요 , 되었어요).

(2)

(옛날 , 옌날)에는 가마솥을 썼다면, 요즘에는 주로 전기밥솥에 밥을 해요.

(3)

믹서는 음식을 가는 (도구예요 , 도구에요).

2 다음 밑줄 그은 낱말을 각각 소리 나는 대로 쓰세요.

(1) 오늘날의 생활에 맞는 도구가 <u>많이</u> 만들어졌지요.

→ [   ]

(2) 수증기가 쉽게 빠져나가는 것을 <u>막아</u> 줘서 밥맛을 좋게 해 주지요.

→ [   ]

(3) 곡식을 맷돌에 갈면 영양소가 <u>살아</u> 있어요.

→ [   ]

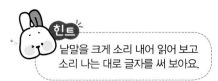

힌트
낱말을 크게 소리 내어 읽어 보고 소리 나는 대로 글자를 써 보아요.

● 오늘날 과학 기술이 발전하면서 생활 도구들이 변해 가고 있어요. 옛날의 생활 도구가 오늘날에는 어떻게 변했을지 사다리 타기 놀이를 하며 찾아보고, 알맞은 말에 ○표를 하세요.

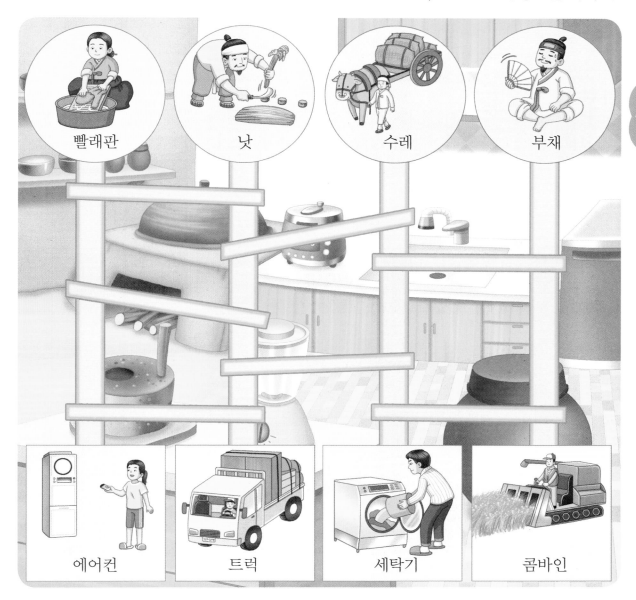

 옛날에 사용했던 생활 도구의 (1) (불편한 , 편리한) 점을 고쳐서 더 (2) (나은 , 나쁜) 도구를 만들다 보니 사라져 버린 도구도 있고 아직도 예전 모습 그대로 쓰이고 있는 도구도 있답니다.

 「옛날 도구는 어떻게 변했을까?」의 내용을 떠올리며 옛날에 사용했던 생활 도구가 오늘날 어떻게 바뀌었는지 더 알아봅니다.

이야기 (문학)

두 친구와 곰

공부한 날   월   일

글에서 글쓴이가 말하고자 하는 것을 찾아라!

「두 친구와 곰」을 읽으며 글쓴이가 말하고자 하는 것이 무엇인지 생각해 보세요.

먼저 글의 제목에서 글쓴이의 생각을 짐작해 보고,

인물들의 말이나 행동이 무엇을 뜻하는지 생각하며 읽으면

글에서 글쓴이가 말하고자 하는 것을 찾을 수 있지요.

◉ 오늘 공부할 글의 그림을 미리 보고, 빈칸에 알맞은 낱말을 각각 찾아 쓰세요.

마른	엎드려	뚱뚱한

두 친구가 길을 가다가 커다란 곰을 만났는데 키가 크고 ❶ [ ][ ] 친구는
→살이 빠져 야윈.

나무 위로 올라갔고, 키가 작고 ❷ [ ][ ][ ] 친구는 나무 아래에 남아 죽
→살이 쪄서 몸이 옆으로 퍼진 듯한.

은 척 ❸ [ ][ ][ ] 있었어요. 두 친구는 어떻게 되었을까요?
→배가 아래로 향하게 하여 몸 전체를 바닥에 대어.

좋은 친구에 대해
알아보기

두 친구와 곰

스스로 독해

진정한 친구란 무엇일까요? 점선 부분을 따라 선을 그으며 읽고 글쓴이가 말하고자 하는 것을 생각해 보세요.

사이좋은 두 친구가 숲속을 걸어가고 있었는데 갑자기 커다란 곰이 나타났어. 깜짝 놀란 두 친구는 나무 아래까지 달아났어.

두 친구 중 키가 크고 마른 친구는 도와 달라는 친구의 말을 모른 체하며 재빨리 나무 위로 올라갔어. 키가 작고 뚱뚱한 친구는 나무 위로 올라가는 게 쉽지 않았지.

마침내 곰이 나무까지 다가오고 나무 위로 오르지 못한 친구는 죽은 척 엎드려 있었어. 곰은 친구의 몸을 살피더니 그냥 돌아서서 가 버렸어.

이 모습을 지켜보던 키가 크고 마른 친구가 내려오며 물었어.

"친구, 어디 다친 데는 없나? 그런데 아까 곰이 친구 귀에 대고 뭐라고 말하는 것 같던데, 무슨 말을 하던가?"

"어려움에 처한 친구를 모른 체하는 사람과는 함께 다니지 말라고 하더군."

작고 뚱뚱한 친구는 이렇게 말하고는 혼자서 길을 떠났단다.

어휘 풀이

▼ **마른** 살이 빠져 야윈. 예 아픈 동생은 마른 몸이 더 말라 보였다.

▼ **뚱뚱한** 살이 쪄서 몸이 옆으로 퍼진 듯한. 예 우리 집 뚱뚱한 강아지와 함께 산책을 갔다.

▼ **척** 그럴 듯하게 꾸미는 거짓 태도나 모양. 예 형은 상을 받았다며 잘난 척을 했다.

▼ **엎드려** 배가 아래로 향하게 하여 몸 전체를 바닥에 대어. 예 밤새 엎드려 잤더니 목이 아팠다.

▼ **처**│곳 처 處│**한** 어떤 형편이나 처지에 놓인. 예 생쥐는 위험에 처한 사자를 구해 주었다.

1 키가 크고 마른 친구는 도와 달라는 친구에게 어떻게 하였나요? (   )

이해

① 모른 체했다.　　　　　　　　② 혼자 길을 떠났다.

③ 곰을 물리쳐 주었다.　　　　　④ 사냥꾼을 불러 주었다.

⑤ 나무 위로 올라갈 수 있게 도와주었다.

2 이 글의 순서에 맞게 다음 그림의 기호를 쓰세요.

이해

(　　　　　) → (　　　　) → (　　　　) → (　　　　　)

3 스스로 독해 해결! 서술형

유추

이 글에서 글쓴이가 말하고자 하는 진정한 친구는 어떤 친구인지 쓰세요.

　어려움에 처한 친구를 ＿＿＿＿＿＿＿＿＿＿＿＿＿＿＿ 사람이
아니라 어려울 때일수록 도와주는 사람이 진정한 친구이다.

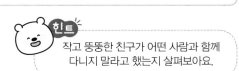

힌트
작고 뚱뚱한 친구가 어떤 사람과 함께
다니지 말라고 했는지 살펴보아요.

4 이 글에서 일어난 일을 정리하여 빈칸에 알맞은 말을 각각 쓰세요.

요약

　두 친구가 길을 가다가 커다란 ❶　　　　을 만났다. 키가 크고 마른 친구는
혼자만 나무 위로 올라갔고, 키가 작고 뚱뚱한 친구는 엎드려 죽은 척했다.
곰이 가고 나서 작고 뚱뚱한 친구는 곰이 ❷　　　　　　　　에 처한 친구를
모른 체하는 사람과는 함께 다니지 말라고 했다며 혼자 길을 떠났다.

▶ 정답 및 해설 16쪽

1 다음 보기 의 '위'와 '아래'와 같은 관계의 말이 <u>아닌</u> 것에 ×표를 하세요.

보기
키가 크고 마른 친구는 나무 위에 있었고,

키가 작고 뚱뚱한 친구는 나무 아래에 있었다.

올라가다　내려가다	뚱뚱하다　마르다	빠르다　서다
(1) (　　)	(2) (　　)	(3) (　　)

힌트
'위'와 '아래'는 서로 반대의 뜻을
가진 낱말이에요.

2 보기 의 띄어 읽기 방법을 보고, 다음 문장을 바르게 띄어 읽어 ∨, ⩒ 표시를 하세요.

보기
- ， 뒤에는 ∨를 하고 조금 쉬어 읽습니다.
- ． ， ？ ， ！ 뒤에는 ⩒를 하고 ， 보다 조금 더 쉬어 읽습니다.
- 글이 끝나는 곳에는 ⩒를 하지 않습니다.

"친구, 어디 다친 데는 없나? 그런데 아까 곰이 친구 귀에 대고 뭐라고 말하
는 것 같던데, 무슨 말을 하던가?"

"어려움에 처한 친구를 모른 체하는 사람과는 함께 다니지 말라고 하더군."

작고 뚱뚱한 친구는 이렇게 말하고는 혼자서 길을 떠났단다.

● 키가 크고 마른 친구는 자신의 잘못을 깨닫고 친구에게 사과의 선물을 보내기로 했어요.
곰 인형의 개수를 세어 보고, 빈칸에 알맞은 말을 쓰세요.

 전체 곰 인형의 수는 몇 개일까요?

→ (1)　　　　개씩 들어 있는 곰 인형이 (2)　　　　상자이므로,

곰 인형은 모두 (3)　　　　개입니다.

읽을 때에는 이십 개 또는 (4)　　　　개라고 읽습니다.

 「두 친구와 곰」의 내용을 떠올리며 키가 크고 마른 친구가 친구에게 보낼 곰 인형의 수를 세어 보고 그 수를 바르게 읽어 봅니다.

죽은 척하면 곰이 그냥 지나갈까?

공부한 날   월   일

내가 알고 있는 것이 사실인지 확인해라!

「죽은 척하면 곰이 그냥 지나갈까?」를 읽으면

이야기 「두 친구와 곰」의 내용이 사실인지 아닌지 알 수 있어요.

이와 같이 설명하는 글을 읽으면 내가 알고 있는 사실이 맞는지 확인할 수 있고,

궁금했던 사실이나 이전에 몰랐던 내용을 알 수 있지요.

◉ 오늘 공부할 글의 그림을 미리 보고, 빈칸에 알맞은 낱말을 각각 찾아 쓰세요.

| 실험 | 반응 | 연구소 |

곰을 만났을 때 죽은 척하면 곰이 진짜 그냥 지나갈까요? 그러다 잡아먹히면 어

떡하죠? 한 ❶ ⬜⬜⬜ 에서 죽은 것처럼 보이는 사람 인형을 보고 곰이
　　　　　　　↳ 연구를 전문으로 하는 기관.

어떻게 ❷ ⬜⬜ 하나 ❸ ⬜⬜ 해 보았어요. 곰은 어떻게 했을까요?
　　　↳ 어떤 자극에 대하여 일정한 동작이나　　↳ 과학에서, 이론이나 현상을 관찰하고 측정함.
　　　　태도를 보임. 또는 그런 동작이나 태도.

죽은 척하면 곰이 그냥 지나갈까?

스스로 독해

곰을 만났을 때 죽은 척하면 된다는 말이 사실일까요? 점선 부분을 따라 선을 그으며 읽어 보세요.

곰을 만났을 때 죽은 척하면 진짜 무사할까요?

㉠한 연구소에서 실험을 해 봤어요. 사람 크기의 인형에 옷을 입혀서 곰이 다니는 길에 놓아둔 거예요. 곰이 어떤 반응을 보였을까요?

곰은 사람처럼 보이는 인형 곁으로 ㉡어슬렁어슬렁 다가와서 킁킁 냄새를 맡기 시작했지요. 아마 죽은 것처럼 보였을 거예요. 곰은 곧바로 앞발을 번쩍 들어 인형의 배 위에 올려놓더니 마구 세게 눌렀어요. 결국 '곰을 만났을 때 죽은 척하면 산다.'는 이야기는 실제와 달랐지요.

실제로 산에서 곰을 만났을 때에는 사과, 바나나처럼 달콤한 과일을 멀리 던져서 곰을 따돌린 후, 반대 방향으로 눈썹이 휘날리도록 도망가는 게 가장 좋은 방법이라고 합니다.

어휘 풀이

▼ **무사**|없을 무 無, 일 사 事|**할까요** 아무 탈 없이 편안할까요.

▼ **연구소**|갈 연 研, 궁구할 구 究, 바 소 所| 연구를 전문으로 하는 기관. 예 삼촌은 연구소에서 일하신다.

▼ **실험**|열매 실 實, 시험 험 驗| 과학에서, 이론이나 현상을 관찰하고 측정함.

▼ **반응**|돌이킬 반 反, 응할 응 應| 어떤 자극에 대하여 일정한 동작이나 태도를 보임. 또는 그런 동작이나 태도.
예 화가 난 언니는 내가 준 선물에도 차가운 반응을 보였다.

▼ **실제**|열매 실 實, 가 제 際| 있는 그대로의 상태나 사실. 예 이 드라마는 실제 있었던 일을 다루었다.

1
이해

㉠의 실험 결과로 알맞은 것을 골라 ○표를 하세요.

(1) 냄새를 맡아 본 곰은 죽은 것을 알고 그냥 지나갔다.   (   )

(2) 곰은 곧바로 앞발을 번쩍 들어 인형의 배를 마구 세게 눌렀다.   (   )

2
어휘

㉡과 같이 모양을 흉내 내는 말을 두 가지 골라 ○표를 하세요.

살랑살랑

짹짹짹

드르렁드르렁

빙그레

(1) (   )   (2) (   )   (3) (   )   (4) (   )

힌트
모양을 흉내 내는 말과 소리를 흉내 내는 말을 구분해 보세요.

서술형

3
이해

곰을 만났을 때에는 어떻게 해야 하는지 쓰세요.

달콤한 과일을 멀리 던져서 _____

반대 방향으로 도망가야 한다.

스스로 독해 해결!

4
요약

이 글의 중요한 내용을 정리하여 빈칸에 알맞은 말을 각각 쓰세요.

죽은 것처럼 보이는 사람 크기의 인형으로 ❶ _____ 해 본 결과 곰은 앞발로 인형의 배를 마구 세게 눌렀다.

→

곰을 만났을 때에는 죽은 척하면 안 되고 곰을 따돌린 후 ❷ _____ 방향으로 도망가야 한다.

1 다음 낱말을 넣어 짧은 글을 지은 것으로 알맞은 것을 골라 ○표를 하세요.

쿵쿵

콧구멍으로 숨을 세차게 띄엄띄엄 내쉬는 소리.

(1) 강아지가 반가워하며 꼬리를 쿵쿵 흔들었다.　　（　　　）

(2) 곰이 다가와 쿵쿵 냄새를 맡기 시작했다.　　（　　　）

2 다음 보기 처럼 앞의 낱말에 포함되는 낱말이 아닌 것을 찾아 각각 ×표를 하세요.

보기

과일 — 사과　바나나　귤

(1) 채소 —

① 당근　② 공책　③ 감자

(2) 꽃 —

① 백합　② 장미　③ 강아지

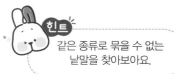

힌트
같은 종류로 묶을 수 없는
낱말을 찾아보아요.

◎ 다음 만화를 보고, 곰을 만났을 때에는 어떻게 해야 하는지 생각하며 알맞은 말에 각각
○표를 하세요.

 곰을 보고 죽은 척했는데도 곰이 (1) (쫓아와서 , 도망가서) 아빠와 아들이 달아나

고 있네요. 이처럼 곰을 만났을 때에는 무조건 (2) (싸워야 , 도망쳐야) 한답니다.

 「죽은 척하면 곰이 그냥 지나갈까?」의 내용과 만화의 내용을 통해 곰을 만났을 때 어떻게 행동해야 하는지 알아봅니다.

통학 버스 안전 교육

공부한 날　　월　　일

통학 버스를 탈 때 주의할 점을 알아보자!

「통학 버스 안전 교육」을 읽으며 통학 버스를 탈 때 주의할 점을 알아보아요.

안전 교육은 일상생활에서 일어나는 사고를 미리 막고, 갑작스러운 사고가

발생했을 때 해야 할 행동을 배우는 것이에요.

글을 읽고 주의할 점을 익혀 안전하게 통학 버스를 타 볼까요?

◉ 오늘 공부할 글의 그림을 미리 보고, 빈칸에 알맞은 낱말을 각각 찾아 쓰세요.

| 통학 | 사고 | 주의 |

요즘 통학 버스와 관련한 ❶ ⬜⬜ 소식이 종종 들려요. 그렇지만 조금만
↳뜻밖에 일어난 불행한 일.

❷ ⬜⬜ 하면 사고를 줄일 수 있답니다.
↳마음에 새겨 두고 조심함.

❸ ⬜⬜ 버스 사고를 줄이려면 어떻게 해야 할지 알아볼까요?
↳집에서 학교까지 오가며 다님.

안전에 대해 알아보기

통학 버스 안전 교육

스스로 독해

통학 버스를 탈 때 주의할 점은 무엇일까요? 점선 부분을 따라 선을 그으며 읽고 답을 생각해 보세요.

■ **어린이 통학 버스 안에서 생기는 사고**

• 통학 버스의 급정거·급출발로 인해 일어나는 사고

• 차창 밖으로 손이나 머리를 내밀어서 일어나는 사고

• 차 안에서 산소가 부족하여 숨을 쉴 수 없게 되는 사고

■ **주의 사항**

▲ 차 안에서는 반드시 안전띠를 맨다.

▲ 차 안에서 지나친 장난을 치지 않는다.

▲ 차창 밖으로 얼굴이나 손 등을 내미는 행동은 절대로 하지 않는다.

▲ 차 안에 혼자 오랫동안 남아 있지 않는다.

어휘 풀이

▼ **통학** |통할 통 通, 배울 학 學| 집에서 학교까지 오가며 다님. 예 이사를 가서 통학하기 힘들어졌다.

▼ **사고** |일 사 事, 옛 고 故| 뜻밖에 일어난 불행한 일. 예 여기는 사고가 많이 나는 곳이다.

▼ **급정거** |급할 급 急, 머무를 정 停, 수레 거 車| 자동차, 기차 따위가 갑자기 섬. 또는 그러한 것을 갑자기 세움.

▼ **차창** |수레 차 車, 창문 창 窓| 기차나 자동차 따위에 달려 있는 창문.

▼ **주의** |부을 주 注, 뜻 의 意| 마음에 새겨 두고 조심함. 예 주의 사항을 잘 읽고 놀이 기구를 타야 한다.

1 다음은 어떤 사고를 막기 위한 것인지 알맞은 것을 골라 ○표를 하세요.

유추

> 차 안에 혼자 오랫동안 남아 있지 않는다.

(1) 차창 밖으로 손이나 머리를 내밀어서 일어나는 사고 　　　(　　　)

(2) 차 안에서 산소가 부족하여 숨을 쉴 수 없게 되는 사고 　　　(　　　)

2 다음 중 통학 버스를 타는 바른 자세는 무엇인가요? (　　　　)

이해

① 　② 　③

힌트 글에서 해야 하는 행동과 하지 말아야 하는 행동을 구분해 보아요.

서술형

3 이 글을 쓴 목적은 무엇인지 빈칸에 알맞은 말을 쓰세요.

이해

> 　이 글은 어린이 _____를
> 막기 위해 통학 버스를 탈 때 주의할 점에 대해 알려 주는 글이다.

스스로 독해 해결!

4 이 글을 읽고 통학 버스를 탈 때 주의할 점을 정리하여 빈칸에 알맞은 말을 각각 쓰세요.

요약

> 　통학 버스 안에서는 ❶ 　　　　　　를 매어야 하고, 지나친 ❷
> 　을 치지 않으며, 차창 밖으로 얼굴이나 손 등을 내밀면 안 된다. 그리고 차 안
> 에 혼자 오랫동안 남아 있지 않아야 한다.

1 다음 뜻에 알맞은 낱말을 보기 에서 각각 찾아 쓰세요.

보기
급정거   급출발   급회전

(1) 갑작스럽게 돎.

(2) 자동차, 기차 따위가 갑자기 섬. 또는 그러한 것을 갑자기 세움.

(3) 자동차, 기차 따위가 갑자기 출발함. 또는 그것을 갑자기 출발하게 함.

힌트
'급-'은 '갑작스러운'의 뜻을 더하는 말이에요.

2 다음 빈칸에 들어갈 알맞은 낱말을 각각 찾아 선으로 이으세요.

(1) 이사를 가서 ☐☐ 시간이 길어졌다.

•

• ① **차창** 기차나 자동차 따위에 달려 있는 창문.

(2) ☐☐ 너머 보이는 풍경이 아름답다.

•

• ② **통학** 집에서 학교까지 오가며 다님.

● 친구들이 통학 버스를 타고 있어요. 바른 자세를 한 친구를 두 명 찾아 ◯표를 하고, 그 친구가 떠올린 기호를 보고 암호를 풀어 빈칸에 알맞은 말을 쓰세요.

기호	♠	♥	◆	★	◉	♣
나타내는 글자	통	도	전	스	안	학

 통학 버스를 탈 때에는 ◉ ◆ 이 최고입니다! →

 「통학 버스 안전 교육」의 내용을 떠올리며 통학 버스를 탈 때의 바른 자세를 다시 한번 생각해 봅니다.

[1~2] 다음 글을 읽고, 물음에 답하세요.

힘자랑 대회에서 이 수탉을 이긴 닭은 하나도 없었단다. 수탉은 이제 이 동네에서 제일 힘센 수탉이 되었어. 아니지, 세상에서 제일 힘센 닭이 된 거야.

동네의 다른 수탉들은 세상에서 제일 힘센 수탉을 몹시 부러워했지. 젊은 암탉들도 그 수탉을 졸졸 따라다녔단다.

그러던 어느 날, 세상에서 제일 힘센 수탉보다 더 힘이 센 수탉이 동네에 나타났어. 그 뒤, 세상에서 가장 힘센 수탉은 동네에서 제일 술을 잘 마시는 수탉이 되었어. 술에 취하면, 자신이 젊었을 때 얼마나 힘이 세고 멋있었는지 큰 소리로 떠들어 대곤 했지.

1 이 글에서 수탉은 어떤 기분이 들었을지 잘못 말한 친구의 이름을 쓰세요.

영지: 힘자랑 대회에서 이겼을 때 기뻤을 거야.
성아: 젊은 암탉들이 졸졸 따라다녔을 때 화가 났을 거야.
현민: 자기보다 더 힘센 수탉이 나타났을 때 슬펐을 거야.

( )

2 수탉은 술에 취하면 무엇을 했는지 알맞은 말을 골라 ○표를 하세요.

• 자신이 (1)(젊었을 , 늙었을) 때 얼마나 (2)(지혜롭고 , 힘이 세고) 멋있었는지 큰 소리로 떠들어 댔다.

[3~5] 다음 글을 읽고, 물음에 답하세요.

㈎ 우리는 옛날 도구를 통해 조상들의 지혜를 엿볼 수 있어요. 그 지혜를 이어받아 오늘날의 생활에 맞는 도구가 많이 만들어졌지요.

김치냉장고는 작은 구멍으로 공기가 통하는 옹기의 ㉠장점을 살려 만들었어요. 김치냉장고 덕분에 장독대가 없는 집에서도 김치를 싱싱하게 보관할 수 있게 되었지요.

㈏ 믹서는 곡식을 갈아서 먹게 해 주는 맷돌의 장점을 살려 만들었어요. 믹서는 맷돌을 쓸 때보다 시간과 힘이 적게 들지요.

3 옹기의 장점은 무엇인가요? ( )

① 시간과 힘이 적게 든다.
② 오늘날의 생활에 잘 맞는다.
③ 김치를 많이 보관할 수 있다.
④ 곡식을 갈아서 먹게 해 준다.
⑤ 작은 구멍으로 공기가 통한다.

4 보기 에서 옛날 도구를 모두 찾아 쓰세요.

보기
믹서 옹기 맷돌 김치냉장고

( )

5 ㉠'장점'과 바꾸어 쓸 수 있는 말은 무엇인가요? ( )

① 나쁜 점 ② 좋은 점 ③ 고칠 점
④ 다른 점 ⑤ 주의할 점

[6~7] 다음 글을 읽고, 물음에 답하세요.

두 친구 중 키가 크고 마른 친구는 도와 달라는 친구의 말을 모른 체하며 재빨리 나무 위로 올라갔어. 키가 작고 뚱뚱한 친구는 나무 위로 올라가는 게 쉽지 않았지.

마침내 곰이 나무까지 다가오고 나무 위로 오르지 못한 친구는 죽은 척 엎드려 있었어. 곰은 친구의 몸을 살피더니 그냥 돌아서서 가 버렸어.

이 모습을 지켜보던 키가 크고 마른 친구가 내려오며 물었어.

"친구, 어디 다친 데는 없나? 그런데 아까 곰이 친구 귀에 대고 뭐라고 말하는 것 같던데, 무슨 말을 하던가?"

"어려움에 처한 친구를 모른 체하는 사람과는 함께 다니지 말라고 하더군."

6 곰이 나무까지 다가왔을 때 키가 작고 뚱뚱한 친구는 어떻게 했나요? 알맞은 낱말을 빈칸에 쓰세요.

· ☐☐ 척 엎드려 있었다.

7 이 글에서 글쓴이가 말하고자 하는 것은 무엇인가요? 알맞은 것을 골라 ○표를 하세요.

(1) 약속은 꼭 지켜야 한다. ( )

(2) 욕심을 부리면 벌을 받는다. ( )

(3) 어려울 때 도와주는 사람이 진정한 친구이다. ( )

[8~9] 다음 글을 읽고, 물음에 답하세요.

한 연구소에서 실험을 해 봤어요. 사람 크기의 인형에 옷을 입혀서 곰이 다니는 길에 놓아둔 거예요. 곰이 어떤 반응을 보였을까요?

곰은 사람처럼 보이는 인형 곁으로 어슬렁어슬렁 다가와서 킁킁 냄새를 ☐㉠ 시작했지요. 아마 죽은 것처럼 보였을 거예요. 곰은 곧바로 앞발을 번쩍 들어 인형의 배 위에 올려놓더니 마구 세게 눌렀어요.

8 곰은 죽은 것처럼 보이는 인형에게 어떤 반응을 보였는지 알맞은 것에 ○표를 하세요.

(1) 인형을 꼭 안아 주었다. ( )

(2) 인형 옆으로 그냥 지나갔다. ( )

(3) 앞발로 인형의 배를 마구 세게 눌렀다. ( )

9 ☐㉠ 안에 들어갈 알맞은 낱말을 고르세요. ( )

① 듣기   ② 보기   ③ 먹기
④ 맡기   ⑤ 만지기

10 다음은 무엇을 알려 주는 글인가요? 알맞은 말을 골라 ○표를 하세요.

· 차 안에서는 반드시 안전띠를 맨다.
· 차 안에서 지나친 장난을 치지 않는다.
· 차창 밖으로 얼굴이나 손 등을 내미는 행동은 절대로 하지 않는다.

· (자전거 , 통학 버스)를 탈 때 주의할 점

창의

1 다음 만화를 읽고, 2주차에서 배운 낱말을 떠올려 어휘 퀴즈에 알맞은 낱말을 빈칸에 각각 쓰세요.

어휘 퀴즈

❶ '흘러가는 시간.'을 뜻하는 말은? →

❷ '된장, 고추장 등을 담는 장독을 놓아두려고 뜰 안에 좀 높직하게 만들어 놓은 곳.'을
뜻하는 말은? →

❸ '○○○를 고르게 섭취해야 한다.'의 빈칸에 들어갈 알맞은 말은? →

코딩

2 요리사 아저씨께서 주방에 있는 도구를 사용하여 요리를 하시려고 해요. 코딩 명령을 따라가서 요리사 아저씨께 필요한 도구는 무엇인지 쓰세요.

코딩 명령

▶ 시작하기 버튼을 클릭했을 때
➡ 방향으로 3칸 이동하기
⬇ 방향으로 1칸 이동하기

코딩 명령 풀이
출발 지점에서
➡방향으로 세 칸
이동하고, 다시 ⬇방향으로
한 칸 이동해요.

출발

전기 주전자

믹서

전기밥솥

우유 1등급

생크림

김치냉장고

전기 오븐

요리사 아저씨께 필요한 도구는 　　　　　　　　 예(이에)요.

융합

3 통학 버스 안전 교육을 받은 친구들이 시내버스를 탈 때 지켜야 할 점을 말하고 있어요. 친구들의 말이 맞으면 ○표, 틀리면 ×표를 따라가 버스가 정류장에 도착할 수 있도록 하세요.

창의
4 다음 안내문을 보고 알맞은 말을 골라 ○표를 하세요.

생활 어휘

이건 학교 안에 CCTV(시시 티브이)가 설치되어 있다는 안내문이네.

CCTV 설치 안내

■ **목적 및 장소**: 학교 폭력 및 안전사고를 예방하고 학생들의 안전한 교육 환경을 조성하기 위해 초등학교 내에 CCTV가 설치되어 있습니다.

■ **촬영 범위 및 시간**: 학교 내, 24시간

– 관리 책임자: 천재초등학교장

CCTV(시시 티브이)가 뭐지? 재미있는 텔레비전 프로그램인가?

얘들아! CCTV(시시 티브이)는 특별히 정한 사람에게 화면에 나타나는 영상을 보내는 것이라고 한단다. 이 CCTV(시시 티브이)는 학교 폭력이나 안전사고를
(1)(미리 막고 , 생기게 하고) 학생들의 안전한 교육 환경을
(2)(만들려고 , 없애려고) 설치했대.

어휘 풀이

▼ **폭력**|나타낼 폭 暴, 힘 력 力| 남을 해치거나 사납게 제압하기 위해 주먹이나 발, 무기 등을 사용해 쓰는 힘.
　　예 화가 난다고 폭력을 쓰면 안 된다.

▼ **예방**|미리 예 豫, 막을 방 防| 병이나 사고 등이 생기지 않도록 미리 막음.
　　예 독감 예방 주사는 매년 맞아야 한다.

▼ **조성**|지을 조 造, 이룰 성 成| 분위기나 흐름 등을 만듦. 예 따뜻한 분위기를 조성하였다.

창의
5
생활 한자

反(돌이킬 반) 자에 대해 알아보고, 다음 물음에 답하세요.

反 자는 손으로 무언가를 잡으려는 듯한 모양으로, 뒤집는다는 뜻을 표현한 글자예요.

돌이킬 **반**

2주
특강

(1) 反 자가 들어간 낱말을 알아보고, 한자의 음을 쓰세요.

① 하루를 反省하며 일기를 썼다.

　　　성

② 축구 경기에서 反則을 하면 안 된다.

　　　칙

힌트
74쪽에서 공부한 '반응'에 쓰인 反(돌이킬 반) 자에 대해 알아봐요.

(2) 한자 성어의 뜻을 알아보고, 빈칸에 알맞은 한자를 쓰세요.

賊 反 荷 杖

도둑 **적**　돌이킬 **반**　꾸짖을 **하**　지팡이 **장**

잘못한 사람이 아무 잘못도 없는 사람을 나무람을 이르는 말.

· 賊　　　荷　杖 (적반하장)도 정도가 있지, 도둑이 오히려 화를 냈다.

1-1 다음 문장에 넣을 바른 낱말을 골라 ○표를 하세요.

흥부가 박을 (쪼개자 , 쪼게자)
박 안에서 수많은 금은보화가 우르
르 쏟아져 나왔습니다.

1-2 다음 문장의 빈칸에 알맞은 낱말은 무엇인가요? 빈칸에 쓰인 자음자를 보고 알맞은 글
자를 쓰세요.

형과 동생은 사과 하나를 ㅉ ㄱ 어 사이
좋게 나누어 먹었습니다.

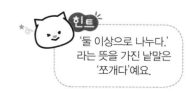
힌트
'둘 이상으로 나누다.'
라는 뜻을 가진 낱말은
'쪼개다'예요.

ㅉ ㄱ 어 ➡ ☐ ☐ 어

▶ 정답 및 해설 20쪽

2-1 다음 문장의 빈칸에 알맞은 낱말을 골라 ◯표를 하세요.

안전한 시설 이용을 위하여 어린이는 성인 　　　　　　와 함께 이용해 주시기 바랍니다.

(1) 그림자 (　　　　)

(2) 보호자 (　　　　)

2-2 친구가 쓴 문장 에서 밑줄 그은 낱말을 바르게 고쳐 쓰세요.

친구가 쓴 문장

병원에 가면 엄마가 입원하신 할머니의 <u>보호색</u>이다.

힌트
'사람'이라는 뜻을 더하려면 '-자'를 붙여야 해요.

보 호 색 ➡ ☐ ☐ ☐

흥부 놀부

인물의 행동에 따라 일어난 일을 찾아라!

「흥부 놀부」에 나오는 흥부와 놀부는 똑같이 제비의 다리를 치료해 주었는데
왜 서로 일어난 일이 다를까요?
인물의 행동에 따라 어떤 일이 일어났는지 살펴보아요. 그러면 인물이 어떤 행동을
했기에 누구는 부자가 되고 누구는 벌을 받았는지 알 수 있지요.

◎ 오늘 공부할 글과 그림을 미리 보고, 알맞은 낱말을 각각 찾아 표시하세요.

　　이 소식을 들은 놀부는 제비 다리를 일부러 부러뜨리고는 제비 다리에 헝겊을 매어 치료해 주었습니다. 그랬더니 이듬해 봄에 제비가 놀부에게도 박씨를 물어다 주었습니다.

1 '멀리 떨어져 있는 사람의 사정을 알리는 말이나 글.'이라는 뜻의 낱말을 찾아 ○표를 하세요.

2 '바로 다음의 해.'라는 뜻의 낱말을 찾아 △표를 하세요.

「흥부 놀부」
전체 이야기 듣기

흥부 놀부

스스로 독해

흥부와 놀부의 행동에 따라 각각 어떤 일이 일어났을까요? 점선 부분을 따라 선을 그으며 읽어 보고 답을 찾아보세요.

어느 날, 흥부는 제비의 다친 다리를 정성껏 치료해 주었습니다. 이듬해 봄, 제비가 박씨를 물어다 주어서 흥부는 마당에 심었습니다.

가을이 되자 지붕 위에는 박이 주렁주렁 열렸습니다. 흥부가 박을 쪼개자 박 안에서 수많은 금은보화가 우르르 쏟아져 나왔습니다. 가난했던 흥부는 큰 부자가 되었습니다.

이 소식을 들은 놀부는 제비 다리를 일부러 부러뜨리고는 제비 다리에 헝겊을 매어 치료해 주었습니다. 그랬더니 이듬해 봄에 제비가 놀부에게도 박씨를 물어다 주었습니다.

"나도 이제 부자가 될 거야. 흥부보다 더 큰 부자가 될 거야!"

가을이 되자, 놀부는 잔뜩 기대하면서 커다랗게 익은 박을 쪼갰습니다. 하지만 박에서는 보물 대신 무서운 도깨비가 나타났습니다.

"네 이놈! 죄 없는 제비의 다리를 부러뜨리고도 무사할 줄 알았느냐!"

도깨비는 놀부의 재산을 빼앗아 갔습니다.

어휘 풀이

▾**이듬해** 바로 다음의 해. 예 이모는 <u>이듬해</u> 예쁜 아기를 낳으셨다.

▾**박** 속은 나물로 먹고 겉은 반으로 쪼개어 바가지를 만드는, 덩굴에 열리는 크고 둥근 열매.

▾**금은보화**|쇠 금 金, 은 은 銀, 보배 보 寶, 재화 화 貨| 금, 은, 보석 따위의 매우 귀중한 물건.
　　예 형은 <u>금은보화</u>가 가득한 산으로 동생을 데려갔다.

▾**소식**|꺼질 소 消, 숨 쉴 식 息| 멀리 떨어져 있는 사람의 사정을 알리는 말이나 글. 예 도착하면 <u>소식</u> 전해 줘.

▾**헝겊** 천의 조각. 예 낡은 <u>헝겊</u>으로 인형을 만들었다.

1 다음 낱말 중 이 글에서 시간을 나타내는 말이 <u>아닌</u> 것에 ×표를 하세요.
문법

| (1) 어느 날 | (2) 이듬해 봄 | (3) 가을이 되자 | (4) 우르르 |

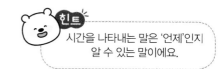

힌트
시간을 나타내는 말은 '언제'인지
알 수 있는 말이에요.

2 다음 중 흥부가 한 일은 무엇인지 두 가지 고르세요. (   )
이해

① 놀부에게 박씨를 주었다.   ② 도깨비가 나오는 박을 쪼겠다.
③ 제비가 물어다 준 박씨를 심었다.   ④ 죄 없는 제비의 다리를 부러뜨렸다.
⑤ 제비의 다리를 정성껏 치료해 주었다.

3주
1일

서술형

3 이 글에서 제비가 한 일은 무엇인지 쓰세요.
이해

> 흥부와 놀부에게 _____.

스스로 독해 해결!

4 인물의 행동에 따라 어떤 일이 일어났는지 정리하여 빈칸에 알맞은 말을 각각 쓰
요약 세요.

흥부

제비의 다친 다리를 정성껏 치료해 주었다.
→ 제비가 물어다 준 박씨를 심었더니 박에서 ❶ ☐☐☐
  ☐ 가 나와 부자가 되었다.

놀부

제비의 다리를 일부러 부러뜨리고는 치료해 주었다.
→ 제비가 물어다 준 박씨를 심었더니 박에서 보물 대신 ❷
  ☐ 가 나타나 재산을 모두 빼앗아 갔다.

1 다음 밑줄 그은 낱말과 같은 뜻으로 쓰인 낱말에 ○표를 하세요.

> 제비가 박씨를 물고 왔습니다.

(1) 놀부가 박씨 가문을 괴롭혔다. (   )

(2) 흥부가 마당에 박씨 를 심었다. (   )

힌트
식물이나 동물의 씨를 가리키는 말과 사람 성씨의 가문을 가리키는 말을 구분해 보아요.

2 다음 그림에 알맞은 낱말을 보기 에서 각각 찾아 쓰세요.

보기

주렁주렁 　열매 따위가 많이 달려 있는 모양.

우르르 　쌓여 있던 물건들이 갑자기 무너져 내리거나 쏟아질 때 나는 소리. 또는 그 모양.

(1)

(   )

(2)

(   )

3 다음 보기 를 보고, 바르게 쓰인 낱말에 ○표를 하세요.

보기

옷고름을 매요.

매다

가방을 메요.

메다

(1) 흥부가 지게를 어깨에 (매었다 , 메었다).

(2) 놀부가 제비 다리에 헝겊을 (매어 , 메어) 치료해 주었다.

● 부자가 된 흥부는 놀부에게 금은보화를 나누어 주었어요. 다음 낱말 뜻에 알맞은 조각을
㉠~㉣에서 골라 빈칸에 기호를 써서 그림을 완성하세요.

(1) 바로 다음의 해.
(   )

(2) 금, 은, 보석 따위의 매우 귀중한 물건.
(   )

(3) 멀리 떨어져 있는 사람의 사정을 알리는 말이나 글.
(   )

(4) 천의 조각.
(   )

3주
1일

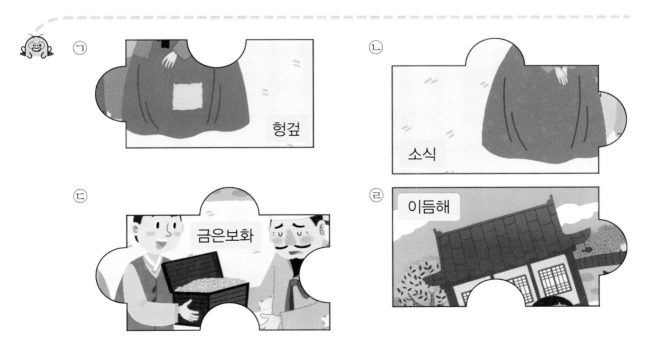

㉠ 헝겊

㉡ 소식

㉢ 금은보화

㉣ 이듬해

「흥부 놀부」를 읽고 부자가 된 흥부와 벌을 받은 놀부는 앞으로 어떻게 될지 생각하며 재미있는 그림 조각 맞추기를 해 봅니다.

쓰레기는 아무 쓸모가 없을까?

공부한 날   월   .   일

글을 읽고 알게 된 내용을 정리하자!

설명하는 글은 어떤 사실을 알려 주려고 쓴 글이에요.

설명하는 글인 「쓰레기는 아무 쓸모가 없을까?」를 읽고

알게 된 내용을 정리해 보고, 일상생활에서 실천해 볼까요?

● 오늘 공부할 글의 그림이나 사진을 미리 보고, 빈칸에 알맞은 낱말을 보기 에서 각각 찾아
쓰세요.

보기

유리병   재활용   분리배출   플라스틱

❶

열이나 압력을 가해 쉽게 모양을 만들 수 있
는 물질.
예 ○○○○으로 옷, 의자 등을 만들 수 있다.

❷

쓰고 버리는 물건을 다른 데에 다시 사용하
거나 사용할 수 있게 함.
예 우유갑을 ○○○하면 화장지를 만들 수
있다.

❸

쓰레기 따위를 종류별로 나누어서 버림.
예 쓰레기를 버릴 때에는 ○○○○ 표시를
보고 나누어 버려야 한다.

3주
2일

쓰레기의 재활용에
대해 더
알아보기

쓰레기는 아무 쓸모가 없을까?

스스로 독해

쓰레기 중 재활용할 수 있는 것에는 무엇무엇이 있을까요? 점선 부분을 따라 선을 그으며 읽어 보고 알게 된 내용을 정리해 보세요.

쓰레기는 보기도 안 좋고 냄새도 나고 지하수도 오염시켜.

그런데 쓰레기가 전부 쓸모없는 건 아니야. 종이, 유리병, 플라스틱, 금속, 알루미늄 등은 다시 사용할 수가 있어. 그래서 쓰레기는 꼭 분리배출을 해야 해. 그러면 재활용하기도 쉽고 쓰레기 양도 많이 줄일 수 있거든.

우유갑 40개를 재활용하면 1개의 화장지를 만들어 낼 수 있어. 낡은 신문지를 재활용하면 새 신문이 되지. 철은 녹여서 금속 제품으로 다시 만들 수 있고, 유리를 녹이면 쉽게 다른 유리 제품을 만들어 낼 수 있어. 플라스틱으로는 옷, 의자 등을 만들 수 있지. 쓰레기 중에서 가장 많이 생기는 음식 찌꺼기도 재활용하면 거름으로 쓸 수 있단다.

앞으로 물건을 살 때는 꼭 분리배출 표시를 찾아봐. 이 물건들은 모두 재활용이 가능하니까.

▲ 재활용 비누

▲ 재활용 화장지

▲ 재활용 공책

어휘 풀이

▼**오염**|더러울 오 汚, 물들일 염 染| 더럽게 물듦. 또는 더럽게 물들게 함.

　예 강물이 오염되어 물고기가 살지 못하게 되었다.

▼**플라스틱** 열이나 압력을 가해 쉽게 모양을 만들 수 있는 물질.

▼**금속**|쇠 금 金, 무리 속 屬| 열과 전기를 잘 통과시키며 특수한 광택이 있는 단단한 물질. 쇠, 금, 은 등이 있음.

▼**분리배출**|나눌 분 分, 떠날 리 離, 물리칠 배 排, 날 출 出| 쓰레기 따위를 종류별로 나누어서 버림.

　예 매주 일요일은 분리배출을 하는 날이다.

▼**재활용**|다시 재 再, 살 활 活, 쓸 용 用| 쓰고 버리는 물건을 다른 데에 다시 사용하거나 사용할 수 있게 함.

▶ 정답 및 해설 21쪽

1
이해

다음 중 쓰레기의 안 좋은 점은 무엇인지 두 가지 고르세요. (   )

① 값이 비싸다.   ② 냄새가 난다.

③ 쉽게 볼 수 없다.   ④ 다시 사용할 수 없다.

⑤ 지하수를 오염시킨다.

2
이해

3주
2일

서술형

쓰레기는 꼭 분리배출을 해야 하는 까닭은 무엇인지 쓰세요.

> 쓰레기 분리배출을 하면 재활용하기도 쉽고 _____ 도
> 많이 줄일 수 있기 때문이다.

3
유추

다음 물건은 무엇을 재활용하여 만든 것인지 두 가지 고르세요. (   )

① 철

② 유리

③ 우유갑

④ 플라스틱

⑤ 음식 찌꺼기

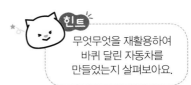

힌트
무엇무엇을 재활용하여
바퀴 달린 자동차를
만들었는지 살펴보아요.

4
요약

스스로 독해 해결!

이 글에서 알 수 있는 내용을 정리하여 빈칸에 알맞은 말을 각각 쓰세요.

> ❶ _____ 가 전부 쓸모없는 것은 아니고 종이, 유리병, 플라스틱,
> 금속, 알루미늄 등은 다시 사용할 수 있기 때문에 쓰레기는 꼭 ❷
> _____ 을 해야 한다.

▶ 정답 및 해설 21쪽

1 다음 중 바른 말을 찾아 각각 ○표를 하세요.

(1)    (프라스틱 , 플라스틱), 금속 등의 쓰레기는 다시 사용할 수 있다.

(2)    쓰레기 중에서 가장 많이 생기는 음식 (찌꺼기 , 지꺼기)도 재활용하면 거름으로 쓸 수 있다.

2 다음 보기 에서 낱말의 뜻을 보고, 그 낱말에 가장 어울리는 그림을 찾아 선으로 연결하세요.

> **보기**
> 오염   더럽게 물듦. 또는 더럽게 물들게 함.
> 재활용   쓰고 버리는 물건을 다른 데에 다시 사용하거나 사용할 수 있게 함.

(1) 오염   •

(2) 재활용   •

①

•

②

•

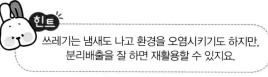
힌트 쓰레기는 냄새도 나고 환경을 오염시키기도 하지만, 분리배출을 잘 하면 재활용할 수 있지요.

● 다음 길 찾기 놀이를 하면서 페트병을 재활용하여 옷을 만드는 방법을 알아보아요.

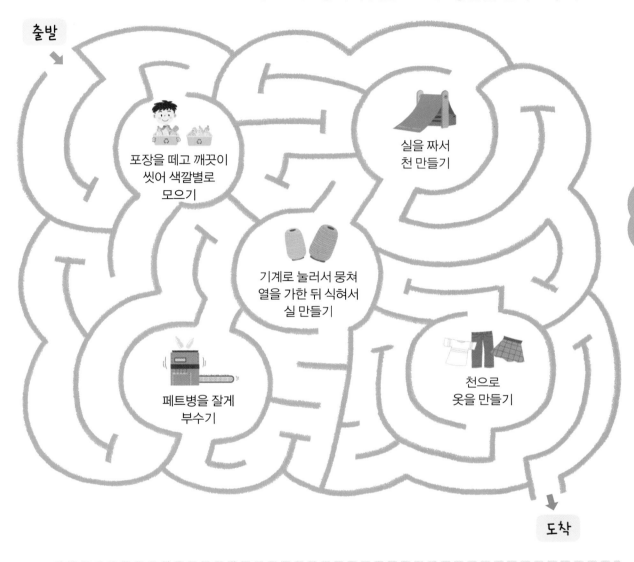

다음 중 페트병을 재활용해서 만든 것을 모두 찾아 ○표를 하세요.

(1)

(2)

(3)

 「쓰레기는 아무 쓸모가 없을까?」에서 알게 된 **쓰레기 재활용**을 생각하며 **페트병**을 재활용하여 옷을 만드는 **방법**에 대해 알아봅니다.

3일

동시 (문학)

너 내가 그럴 줄 알았어

공부한 날   월   일

재미있는 말의 느낌을 살려 시를 읽어 보자!

재미있는 말의 느낌을 살려 「너 내가 그럴 줄 알았어」를 읽어 보아요.
시에서 흉내 내는 말이나 반복되는 말과 같은 재미있는 말에 주의하며 읽으면
시의 느낌을 잘 살릴 수 있어요.

● 오늘 공부할 글과 그림을 미리 보고, 알맞은 낱말을 각각 찾아 표시하세요.

태성아 그러지 마 그러다가 물에 빠질라
그래도 태성이는 징검다리를
폴짝폴짝 뛰어 건너다닙니다.

1 '개울이나 물이 괸 곳에 돌이나 흙더미를 드문드문 놓아 만든 다리.'라는 뜻의 낱말을 찾아 ○표를 하세요.

2 '작은 것이 자꾸 세차고 가볍게 뛰어오르는 모양.'이라는 뜻의 낱말을 찾아 △표를 하세요.

너 내가 그럴 줄 알았어

김용택

스스로 독해

시에서 어떤 말이 재미있나요? 점선 부분을 따라 선을 그으며 흉내 내는 말이나 반복되는 말의 느낌을 살려 시를 읽어 보세요.

태성이가 엄마 빨래하는 데 따라와
징검다리를 폴짝폴짝 뛰어다닙니다.
태성아 그러다가 물에 **빠질라**
태성아 그러지 마 그러다가 물에 **빠질라**
그래도 태성이는 징검다리를
㉠폴짝폴짝 뛰어 건너다닙니다.
그때 비행기가 큰 소리를 내며
지나갑니다.
태성이가 하늘을 쳐다보며
징검돌을 뛰어 건너다가
㉡풍덩 물로 빠집니다.

너 내가 그럴 줄 알았어.

어휘 풀이

▼ **징검다리** 개울이나 물이 괸 곳에 돌이나 흙더미를 드문드문 놓아 만든 다리.
　　예 이 징검다리를 건너가면 마을이 나타난다.

▼ **폴짝폴짝** 작은 것이 자꾸 세차고 가볍게 뛰어오르는 모양.
　　예 아이들이 폴짝폴짝 잘도 뛰는구나!

▼ **징검돌** 징검다리를 만들기 위하여 놓은 돌.

▼ **풍덩** 크고 무거운 물건이 깊은 물에 떨어지거나 빠질 때 무겁게 한 번 나는 소리.
　　예 수영장 물속으로 풍덩 뛰어들었다.

▲ 징검다리

▶정답 및 해설 22쪽

1 이 시에서 반복되는 말은 무엇인지 두 가지 고르세요. (   )

표현

① 태성아 ② 하늘을

③ 그래도 ④ 그러다가 물에 빠질라

⑤ 비행기가 큰 소리를 내며

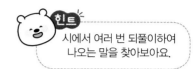
힌트
시에서 여러 번 되풀이하여
나오는 말을 찾아보아요.

2 스스로 독해 해결!
⊙'폴짝폴짝'과 ⓒ'풍덩'과 같은 흉내 내는 말을 읽으면 어떤 느낌이 드는지 알맞게

유추 말한 친구를 골라 ○표를 하세요.

3주
3일

읽을 때
재미있고 느낌이
더 잘 살아나.
민수

같은 말이
여러 번 나오니까
더 어려워.
강희

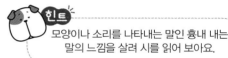
힌트
모양이나 소리를 나타내는 말인 흉내 내는
말의 느낌을 살려 시를 읽어 보아요.

3 서술형
태성이는 무엇을 하다가 물에 빠졌는지 쓰세요.

이해

하늘을 쳐다보며 _____ 물에 빠졌다.

4 이 시의 내용을 정리하여 빈칸에 알맞은 말을 각각 쓰세요.

요약

태성이는 엄마 빨래하는 데 따라와 엄마가 물에 빠지니 뛰지 말라고 했는

데도 ❶ [   ] 를 폴짝폴짝 뛰어 건너다니다가 ❷ [   ] 에 빠지

고, 엄마는 그럴 줄 알았다고 하셨다.

1 다음 보기 를 보고, 알맞은 말에 각각 ◯표를 하세요.

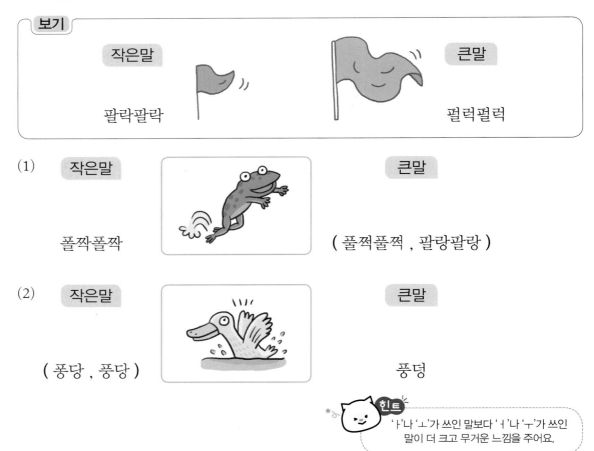

보기

작은말 팔락팔락

큰말 펄럭펄럭

(1) 작은말 폴짝폴짝

큰말 (풀쩍풀쩍 , 팔랑팔랑)

(2) 작은말 (퐁당 , 풍당)

큰말 풍덩

힌트
'ㅏ'나 'ㅗ'가 쓰인 말보다 'ㅓ'나 'ㅜ'가 쓰인
말이 더 크고 무거운 느낌을 주어요.

2 다음 밑줄 그은 낱말을 각각 소리 나는 대로 쓰세요.

(1) 아이가 푸른 들판을 뛰어다닙니다.

→ [   ]

(2) 아이가 계곡에서 장난을 치다가 물에 빠집니다.

→ [   ]

힌트
'-ㅂ니다'를 소리 나는 대로 읽을 때에
받침 'ㅂ'은 'ㅁ'으로 소리 나요.

● 농장의 동물들이 즐겁게 놀고 있어요. 다음에서 설명하는 내용을 보고, 동물들의 흉내 내는 말로 알맞은 것을 각각 보기 에서 찾아 쓰세요.

❶ 개구리가 잇따라 우는 소리를 흉내 내는 말.

❷ 크고 묵직한 몸이 중심을 잃고 이리저리로 흔들리는 모양을 흉내 내는 말.

❸ 개가 짖는 소리를 흉내 내는 말.

❹ 긴 다리로 힘 있게 아래에서 위로 뛰어오르는 모양을 흉내 내는 말.

보기

멍멍   개굴개굴   껑충껑충   뒤뚱뒤뚱

3주
3일

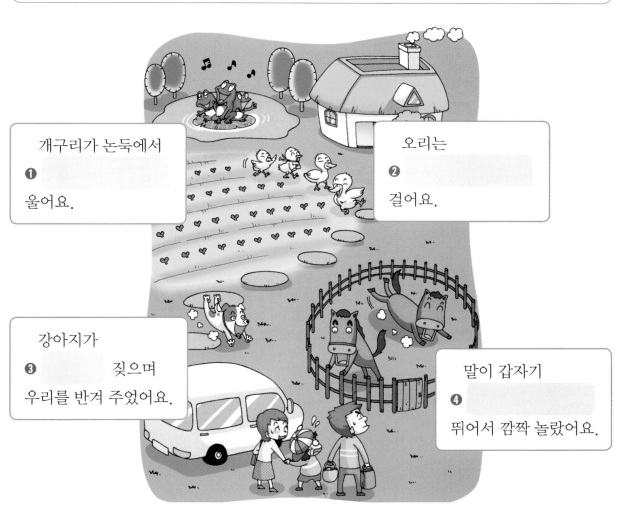

개구리가 논둑에서

❶ [   ]

울어요.

오리는

❷ [   ]

걸어요.

강아지가

❸ [   ] 짖으며

우리를 반겨 주었어요.

말이 갑자기

❹ [   ]

뛰어서 깜짝 놀랐어요.

「너 내가 그럴 줄 알았어」에 나오는 흉내 내는 말을 생각하며 **여러 가지 흉내 내는 말**을 더 알아봅니다.

온달은 바보가 아니었다!

공부한 날   월   일

인물에 대한 진짜 이야기를 알아보자!

평강 공주와 바보 온달 이야기를 보면 온달은 바보였다고 나오는데
온달이 진짜 바보였을까요? 바보가 아니었다면 왜 그렇게 알려졌을까요?
「온달은 바보가 아니었다!」에서 인물이 살았던 시대와 인물이 처한 상황을 살펴보면
그 까닭을 알 수 있어요.

● 오늘 공부할 글의 그림을 미리 보고, 빈칸에 알맞은 낱말을 각각 찾아 쓰세요.

| 공 | 겁 | 장수 | 귀족 |

평강 공주가 하도 울자 자꾸 울면 바보 온달에게 시집보낸다고 ❶ ⬜ 을 주었

↳ 무서워하는 마음.

다는 이야기를 알지요? 그런데 온달은 바보가 아니고 ❷ ⬜ 을 세운 훌륭한

↳ 일을 마치거나 목적을 이루는 데
들인 노력과 수고. 또는 그 결과.

❸ ⬜⬜ 였다고 해요. 그렇다면 이야기가 잘못 전해진 까닭은 무엇일까요?

↳ 군사를 거느리는 우두머리.

온달은 바보가 아니었다!

스스로 독해

온달은 왜 바보였다고 잘못 전해졌을까요? 점선 부분을 따라 선을 그으며 읽어 보고 답을 찾아보세요.

평강 공주가 어렸을 때 하도 울자 아버지인 평원왕이 "자꾸 울면 바보 온달에게 시집보낸다."라고 ▼겁을 주었다는 바보 온달 이야기가 있지.

그런데 사실 바보 온달은 진짜 바보가 아니었어. 온달은 전쟁터에서 뛰어난 ▼공을 세워 평원왕의 눈에 띈 훌륭한 ▼장수였어. 그렇다면 왜 지금까지도 바보 온달 이야기가 잘못 전해지고 있는 것일까?

그건 바로 ▼명문 귀족들 때문이야. 온달은 지위가 낮은 귀족이거나 집안이 망한 귀족이었을 거야. 그런데 전쟁터에 나가 공을 세워 한순간에 명문 귀족들보다 훌륭한 ▼명성을 얻게 되었지. 그러자 평원왕은 온달을 사위로 삼아 왕의 힘을 키우려고 했어.

"온달 장군, 자네가 명문 귀족들의 힘이 강해지지 못하도록 막아 주게."

이렇게 온달이 왕을 도와주자, 명문 귀족들의 기분이 좋지 않았어. 그래서 온달과 평강 공주의 결혼을 바보와 울보의 결혼이라고 ▼헛소문을 냈던 거야.

어휘 풀이

- ▼**겁**|겁낼 겁 怯| 무서워하는 마음. 예 동생은 겁이 많아서 놀이 기구를 못 탄다.
- ▼**공**|공로 공 功| 일을 마치거나 목적을 이루는 데 들인 노력과 수고. 또는 그 결과.
  예 우리가 이긴 것은 철수의 공이 컸다.
- ▼**장수**|장수 장 將, 주장할 수 帥| 군사를 거느리는 우두머리. 예 장수는 부하들을 이끌고 전쟁터로 갔다.
- ▼**명문**|이름 명 名, 문 문 門| 훌륭하다고 이름난 좋은 집안. 예 이순신은 명문 출신이 아니었다.
- ▼**귀족**|귀할 귀 貴, 겨레 족 族| 타고난 신분이나 사회적 계급이 높은 계층. 또는 그런 계층에 속한 사람.
- ▼**명성**|이름 명 名, 소리 성 聲| 사람들에게 높은 평가를 받으며 세상에 널리 알려진 이름.
- ▼**헛소문**|바 소 所, 들을 문 聞| 사람들 사이에 널리 퍼진 근거 없는 말.

1 바보 온달 이야기에서 평원왕이 평강 공주에게 바보 온달에게 시집보낸다고 말한
유추 까닭은 무엇일지 골라 ○표를 하세요.

(1) 사람들이 모두 온달을 사위로 삼고 싶어 해서 (　　　　　)

(2) 평강 공주에게 겁을 주어서 울지 않게 하려고 (　　　　　)

> 힌트
> '사위'는 딸의 남편을
> 이르는 말이에요.

2 다음 중 온달에 대한 설명으로 알맞지 <u>않은</u> 것을 두 가지 고르세요. (　　　　　)
이해

① 평강 공주와 결혼했다.

② 지위가 낮은 귀족일 것이다.

③ 평강 공주가 바보라고 소문냈다.

④ 훌륭한 명성을 얻게 된 장수였다.

⑤ 알고 보면 소문대로 진짜 바보였다.

> 힌트
> 우리가 알고 있던 것과
> 진짜 이야기를 구분하여 보아요.

스스로 독해 해결! 서술형

3 인물이 살았던 시대를 생각하며 온달이 바보라고 잘못 전해지게 된 까닭은 무엇인
이해 지 각각 쓰세요.

> 온달을 사위로 삼아 (1) ＿＿＿＿＿＿＿＿＿＿을 키우려고 한 평원왕을 온
> 달이 도와주자 기분이 좋지 않은 명문 귀족들이 온달과 평강 공주의 결혼을
> (2) ＿＿＿＿＿＿＿＿＿＿＿＿＿＿＿＿이라고 헛소문을 냈기 때문이다.

4 이 글의 내용을 정리하여 빈칸에 알맞은 말을 각각 쓰세요.
요약

> 온달은 전쟁터에 나가 공을 세워 훌륭한 명성을 얻게 되었다. → 평원왕은
> 온달을 ❶ ＿＿＿＿＿ 로 삼아 왕의 힘을 키우려고 했다. → 온달이 명문 귀족
> 들의 힘이 강해지지 못하도록 왕을 도와주자 명문 귀족들은 기분이 좋지 않
> 았다. → 명문 귀족들은 온달을 ❷ ＿＿＿＿＿ 라고 헛소문을 냈다.

▶ 정답 및 해설 23쪽

1 다음 밑줄 그은 낱말을 보기 와 같이 소리 나는 대로 쓰세요.

아버지인 평원왕은 평강 공주가 울 때마다 바보 온달에게 시집보낸다고 겁을 주었다.

• 겁을 → [   ]

힌트
글자를 이어 읽을 때에는 한 글자씩 떼어서 읽는 것이 아니라 자연스럽게 이어서 읽어야 해요.

2 보기 를 보고, 다음 문장은 높임말인지 예사말인지 골라 알맞은 것에 ○표를 하세요.

"자꾸 울면 바보 온달에게 시집보낸다."

높임말   예사말

3 다음 낱말을 보고, 비슷한말에는 '비', 반대말에는 '반'이라고 쓰세요.

강하다   힘이 세다.

(1) 약하다 (   )

(2) 세다 (   )

힌트
비슷한말은 뜻이 비슷한 관계에 있는 말을 말하고, 반대말은 뜻이 반대인 관계에 있는 말을 말해요.

◉ 다음 만화를 보고, 온달이 바보인지 아닌지 시험해 보는 문제의 답을 알맞게 쓰세요.

 ㉠ 1부터 5를 다 더하면? (   )

㉡ 9 곱하기 8은? (   )

재미있는 만화를 보며 **온달이 진짜 바보인지 아닌지** 알아보는 덧셈과 곱셈을 해 봅니다.

놀이공원 시설 이용 안내

공부한 날   월   일

놀이공원에서 놀이 시설 이용 방법을 알아보자!

놀이공원에 놀러 갔는데 시간에 맞춰 입장해야 하는 시설이 있었어요.
그 시간을 놓치면 이용할 수 없지요.
「놀이공원 시설 이용 안내」를 잘 읽고 어떤 방법으로 언제 입장하면 좋을지
알아보아요.

◉ 오늘 공부할 글의 그림을 미리 보고, 빈칸에 알맞은 낱말을 각각 찾아 쓰세요.

| 예약 | 시설 | 선착순 | 보호자 |

놀이공원에 놀러 갔어요. 그런데 '어린이 동산' ❶ ☐☐ 을 이용하려면
└→ 어떤 목적을 위하여 건물 등을 만들어 갖춤.

❷ ☐☐ 으로 들어가거나 ❸ ☐☐ 을 해야 한대요.
└→ 먼저 와 닿는 차례.   └→ 미리 약속함.

예약 방법과 입장 방법을 살펴보고 원하는 시간에 이용해 볼까요?

놀이공원에 대해
알아보기

놀이공원 시설 이용 안내

스스로 독해

놀이공원에 있는 시설을 이용하려면 어떻게 해야 할까요? 점선 부분을 따라 선을 그으며 읽어 보세요.

어린이 동산 이용 안내

- '어린이 동산'은 선착순 및 예약제로 운영합니다.
- 40분(이용 시간 30분, 정리 10분) 간격으로 운영하고 있으며, 1회 이용 인원은 성인 보호자 포함 총 100명입니다. (보호자도 예약권이 필요합니다.)
- 예약권은 한 사람당 최대 5매까지 발급 가능합니다.
- 안전한 시설 이용을 위하여 어린이는 성인 보호자와 함께 이용해 주시기 바랍니다.
- 예약 시간은 아래 안내를 참고하시기 바랍니다.

오전	이용 시간	10:50~11:20	11:30~12:00	12:10~12:40
	이용 방법	선착순 입장	10:50에 예약 후 이용 시간에 입장	
오후	이용 시간	1:30~2:00	2:10~2:40	2:50~3:20
	이용 방법	선착순 입장	1:30에 예약 후 이용 시간에 입장	

어휘 풀이

▼ **선착순**|먼저 선 先, 붙을 착 着, 순할 순 順| 먼저 와 닿는 차례. 예 선착순으로 입장하겠습니다.

▼ **운영**|운전할 운 運, 경영할 영 營| 조직이나 기구 따위를 관리하고 이끌어 나감.

▼ **간격**|사이 간 間, 막을 격 隔| 시간이 벌어진 정도. 예 버스는 10분 간격으로 온다.

▼ **보호자**|보전할 보 保, 보호할 호 護, 놈 자 者| 어떤 사람을 보호할 책임을 가지고 있는 사람.

▼ **시설**|베풀 시 施, 베풀 설 設| 어떤 목적을 위하여 건물이나 도구, 기계, 장치 등을 만들어 갖춤.

▼ **예약**|미리 예 豫, 맺을 약 約| 미리 약속함. 또는 미리 정한 약속. 예 그 음식점은 손님이 많아서 예약해야 한다.

1
유추

오후 2시 10분에 '어린이 동산'을 이용하고 싶다면 어떻게 해야 하는지 알맞게 말한 친구에 ○표를 하세요.

1시 30분에 선착순으로 입장하면 돼.

유리

1시 30분에 2시 10분에 이용한다는 예약권을 받으면 돼.

준호

오전 10시 50분부터 12시까지 줄 서 있으면 되겠지?

새나

힌트
선착순으로 입장할 수 있는 시간과 예약해야 입장할 수 있는 시간을 구분해 보아요.

3주
5일

2
이해

서술형

'어린이 동산'을 이용할 때 어린이는 성인 보호자와 함께 이용해야 하는 까닭은 무엇인지 쓰세요.

_____을 위하여 어린이는 성인 보호자와 함께 이용해야 한다.

3
요약

놀이공원 시설 이용 안내를 읽고, 내용을 정리하여 빈칸에 알맞은 말을 보기 에서 각각 찾아 쓰세요.

보기

보호자   예약권

정해진 시간에 선착순으로 입장하거나 원하는 이용 시간에 예 약 을 한다. 40분 간격으로 운영하고 있고 ❶ [   ] 은 1인당 최대 5매까지 발급 가능하며 어린이는 성인 ❷ [   ] 와 함께 이용해야 한다.

1 다음 보기 의 숫자를 세는 말을 보고, 빈칸에 알맞은 말을 각각 찾아 쓰세요.

보기
　회　횟수를 나타내는 말　　　매　종이나 사진 등을 세는 말

(1)  　놀이 기구의 1 ☐ 이용 인원은 총 100명입니다.

(2)  　예약권은 한 사람당 최대 5 ☐ 까지 발급 가능합니다.

2 다음 가로 열쇠와 세로 열쇠를 보고, 보기 에서 알맞은 말을 찾아 십자말풀이를 완성하세요.

❶			
		❷	
		❸	

보기

성인　　　인원
예약　　　예약제

가로 열쇠

❶ 예약을 통해 주문이나 판매 등이 이루어지는 제도.
❸ 단체를 이루고 있는 사람들. 또는 그 사람들의 수.

세로 열쇠

❶ 자리나 방, 물건 등을 사용하기 위해 미리 약속함. 또는 그런 약속.
❷ 자라서 어른이 된 사람.

힌트
십자말풀이는 가로로 답을 하는 문제와 세로로 답을 하는 문제를 풀어서 빈칸을 채우는 놀이예요.

똑똑한
하루 독해 게임

재미있는 독해 게임으로 독해력 쑥쑥

▶ 정답 및 해설 24쪽

● 놀이공원 안내판을 보고, 다음의 상황에 알맞은 곳을 각각 찾아 표시하세요.

(1) 엄마를 잃어버렸어요. 어디로 가야 할까요? 알맞은 곳에 ○표를 하세요.

(2) 몇 시까지 운영하는지 궁금해요. 어디로 가서 물어봐야 할까요? 알맞은 곳에 △표를 하세요.

「놀이공원 시설 이용 안내」와 놀이공원 안내판을 보며 **각 시설물의 역할과 이용 방법**을 더 알아봅니다.

[1~2] 다음 글을 읽고, 물음에 답하세요.

이 소식을 들은 놀부는 제비 다리를 일부러 부러뜨리고는 제비 다리에 ㉠헝겁을 ㉡메어 치료해 주었습니다. 그랬더니 이듬해 봄에 제비가 놀부에게도 박씨를 물어다 주었습니다.

"나도 이제 부자가 될 거야. 흥부보다 더 큰 부자가 될 거야!"

가을이 되자, 놀부는 잔뜩 기대하면서 커다랗게 익은 박을 쪼갰습니다. 하지만 박에서는 보물 대신 무서운 도깨비가 나타났습니다.

"네 이놈! 죄 없는 제비의 다리를 부러뜨리고도 무사할 줄 알았느냐!"

도깨비는 놀부의 재산을 ㉢빼았아 갔습니다.

1 이야기에서 일어난 일로 알맞지 <u>않은</u> 것은 무엇인가요? (   )

① 놀부가 제비 다리를 부러뜨렸다.
② 놀부가 커다랗게 익은 박을 쪼갰다.
③ 놀부가 제비 다리를 치료해 주었다.
④ 제비가 놀부에게 박씨를 물어다 주었다.
⑤ 박에서 보물이 나와 놀부는 부자가 되었다.

2 ㉠~㉢을 바르게 고친 것을 두 가지 골라 ○표를 하세요.

(1) ㉠헝겁 → 헝겊   (   )
(2) ㉡메어 → 매어   (   )
(3) ㉢빼았아 → 빼아사   (   )

[3~4] 다음 글을 읽고, 물음에 답하세요.

쓰레기가 전부 쓸모 없는 건 아니야. 종이, 유리병, 플라스틱, 금속, 알루미늄 등은 다시 사용할 수가 있어. 그래서 쓰레기는 꼭 분리배출을 해야 해. 그러면 재활용하기도 쉽고 쓰레기 양도 많이 줄일 수 있거든.

우유갑 40개를 재활용하면 1개의 화장지를 만들어 낼 수 있어. 낡은 신문지를 재활용하면 새 신문이 되지. 철은 녹여서 금속 제품으로 다시 만들 수 있고, 유리를 녹이면 쉽게 다른 유리 제품을 만들어 낼 수 있어. 플라스틱으로는 옷, 의자 등을 만들 수 있지. 쓰레기 중에서 가장 많이 생기는 음식 찌꺼기도 재활용하면 거름으로 쓸 수 있단다.

3 쓰레기를 분리배출해야 하는 까닭으로 알맞지 <u>않은</u> 것을 찾아 기호를 쓰세요.

㉠ 쓰레기를 재활용하기 쉽다.
㉡ 쓰레기 냄새를 없앨 수 있다.
㉢ 쓰레기 양을 많이 줄일 수 있다.

(   )

4 재활용하면 옷과 의자를 만들 수 있는 쓰레기는 무엇인가요? (   )

① 우유갑   ② 신문지   ③ 플라스틱
④ 유리병   ⑤ 음식 찌꺼기

[5~7] 다음 시를 읽고, 물음에 답하세요.

태성이가 엄마 빨래하는 데 따라와
징검다리를 폴짝폴짝 뛰어다닙니다.
태성아 ㉠그러다가 물에 빠질라
태성아 그러지 마 그러다가 물에 빠질라
그래도 태성이는 징검다리를
폴짝폴짝 뛰어 건너다닙니다.
그때 비행기가 큰 소리를 내며
지나갑니다.
태성이가 하늘을 쳐다보며
징검돌을 뛰어 건너다가
풍덩 물로 빠집니다.

㉡너 내가 그럴 줄 알았어.

5 이 시에 나온 흉내 내는 말은 무엇인지 두 가지 고르세요. (   )

① 풍덩   ② 태성아   ③ 징검다리
④ 비행기   ⑤ 폴짝폴짝

6 ㉠이 뜻하는 것에 ◯표를 하세요.

(1) 빨래를 하다가   (   )
(2) 비행기 소리를 듣다가   (   )
(3) 징검다리를 뛰어다니다가   (   )

7 ㉡은 누가 한 말인가요? (   )

① 친구   ② 엄마   ③ 선생님
④ 아빠   ⑤ 태성이

[8~9] 다음 글을 읽고, 물음에 답하세요.

온달은 지위가 낮은 귀족이거나 집안이 망한 귀족이었을 거야. 그런데 전쟁터에 나가 공을 세워 한순간에 명문 귀족들보다 훌륭한 명성을 얻게 되었지. 그러자 평원왕은 온달을 사위로 삼아 왕의 힘을 키우려고 했어.
"온달 장군, 자네가 명문 귀족들의 힘이 강해지지 못하도록 막아 주게."
이렇게 온달이 왕을 도와주자, 명문 귀족들의 기분이 좋지 않았어. 그래서 온달과 평강 공주의 결혼을 바보와 울보의 결혼이라고 헛소문을 냈던 거야.

8 평원왕은 왜 온달을 사위로 삼으려고 했나요? 알맞은 말을 골라 ◯표를 하세요.

• (왕 , 명문 귀족)의 힘을 키우기 위해

9 명문 귀족들은 어떤 헛소문을 냈는지 빈칸에 알맞은 사람의 이름을 쓰세요.

• ☐☐☐ 은 바보이다.

10 ㉠~㉢ 중에서 숫자를 세는 말이 알맞지 않은 것의 기호를 쓰세요.

〈어린이 동산 이용 안내〉
• 40분(이용 시간 30분, 정리 10분) 간격으로 운영하고 있으며, ㉠1회 이용 인원은 성인 보호자 포함 총 ㉡100명입니다.
• 예약권은 한 사람당 최대 ㉢5마리까지 발급 가능합니다.

(   )

창의
1 다음 만화를 읽고, 3주차에서 배운 낱말을 떠올려 어휘 퀴즈에 알맞은 낱말을 빈칸에 각각 쓰세요.

3주
특강

🐻 어휘 퀴즈

❶ '먼저 와 닿는 차례.'를 뜻하는 말은? →

❷ '사람들에게 높은 평가를 받으며 세상에 널리 알려진 이름.'을 뜻하는 말은? →

❸ '사실이 아닌 ○○○을 무턱대고 믿으면 안 된다.'의 빈칸에 들어갈 알맞은 말은?

→

2 평강 공주가 궁궐에서 나와 온달의 집에 가려고 해요. 온달의 집을 무사히 찾을 수 있도록 알맞은 코딩 명령에 ○표를 하세요.

(1)
　시작하기 버튼을 클릭했을 때
　→ 방향으로 2칸 이동하기
　↓ 방향으로 3칸 이동하기
（　　　　　）

(2)
　시작하기 버튼을 클릭했을 때
　↓ 방향으로 2칸 이동하기
　→ 방향으로 3칸 이동하기
（　　　　　）

융합

3 아파트 게시판에 쓰레기 분리배출 안내문이 붙었어요. 쓰레기를 버리는 친구들 중 정해진 시간을 지키지 <u>않은</u> 친구에게 ×표를 하세요.

재활용 쓰레기 분리배출 안내문

우리 아파트에서 재활용 쓰레기를 분리배출할 수 있는
요일과 시간을 알려드립니다.
깨끗한 환경을 위해 분리배출 시간을 꼭 지켜 주시기 바랍니다.

＊요일: 화요일, 목요일
＊시간: 저녁 6시∼밤 10시

– 천재아파트 관리 사무소 –

---

(1)

(   )

(2)

(   )

(3)

(   )

창의
4 다음 안내문을 보고 알맞은 말을 골라 ○표를 하세요.

생활 어휘

반려동물 동행 시 출입 금지

학생 교육 장소인 운동장을 반려동물의 배설물 등으로부터 위생적으로 관리하기 위해 반려동물과 동행한 출입을 금합니다.

천재초등학교장

학교에 반려동물 동행 출입 금지를 알리는 안내문이네.

강아지랑 같이 학교 운동장에 들어가도 된다는 거야? 안 된다는 거야?

얘들아! 반려동물은 강아지나 고양이처럼 사람들이 (1)(멀리 , 가까이) 두고 귀여워하며 기르는 동물이야. 학교에 이러한 동물들의 똥이나 오줌 같은 배설물이 있으면 아이들의 건강에 안 좋지. 그래서 반려동물과 같이 학교 운동장에 (2)(들어가라는 , 들어가지 말라는) 거야.

어휘 풀이

▼ **배설물** | 물리칠 배 排, 샐 설 泄, 만물 물 物 | 생물체가 몸 밖으로 내보내는 똥이나 오줌, 땀 같은 물질.
　예 반려동물의 <u>배설물</u>을 잘 치워 주시기 바랍니다.

▼ **위생적** | 지킬 위 衛, 날 생 生, 과녁 적 的 | 건강에 이롭거나 도움이 되도록 조건을 갖춘 것.

▼ **동행** | 같을 동 同, 다닐 행 行 | 같이 길을 감. 예 산에서 나그네는 사냥꾼과 <u>동행</u>을 했다.

▼ **금** | 금할 금 禁 | **합니다** 어떤 일을 하지 못하게 말립니다. 예 이곳에 주차를 <u>금</u>합니다.

창의
5

생활 한자

先(먼저 선) 자에 대해 알아보고, 다음 물음에 답하세요.

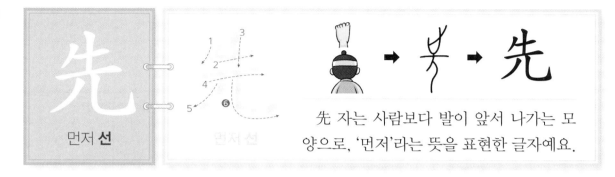

먼저 **선**

先 자는 사람보다 발이 앞서 나가는 모양으로, '먼저'라는 뜻을 표현한 글자예요.

(1) 先 자가 들어간 낱말을 알아보고, 한자의 음을 쓰세요.

① 于先 손부터 씻고 밥을 먹어라.

　　우

> **힌트**
> 122쪽에서 공부한 '선착순'에 쓰인 先(먼저 선) 자에 대해 알아봐요.

② 드디어 우리 선수가 先頭를 차지하였습니다.

　　　　두

(2) 한자 성어의 뜻을 알아보고, 빈칸에 알맞은 한자를 쓰세요.

先 見 之 明
먼저 **선**　　볼 **견**　　갈 **지**　　밝을 **명**

어떤 일이 일어나기 전에 미리 앞을 내다보고 아는 지혜.

• 적들이 쳐들어올 것을 미리 안 장군은 　見 　之 　明 (선견지명)이 있었다.

너무 감동적이야.

「엄마 까투리」에서 새끼들을 지키려는 엄마 까투리의 마음이 짐작되어 뭉클해.

토토가 독해 실력이 많이 늘었는걸.

에헴, 「장수풍뎅이 키우기」를 읽고 장수풍뎅이 키우는 방법도 다 파악했다고!

잘했으니까 내가 상을 줄게.

뒤적

앗, 초콜릿이 녹았잖아?

「초콜릿이 사르르 녹는 이유는?」을 보니까 초콜릿은 몸에 닿기만 해도 녹는대.

주머니 속에서 녹아 버렸나 봐.

얼른 씻고 와.

1-1 다음 문장의 빈칸에 알맞은 낱말을 보기 에서 찾아 쓰세요.

보기

닫힌 갇힌

다시 상자에 ＿＿＿＿＿＿ 호랑이는 살려 달라고 소리친다.

힌트

'사람이나 동물이 벽으로 둘러싸이거나 울타리가 있는 일정한 장소에 넣어져 밖으로 나오지 못하게 되다.'라는 뜻을 가진 낱말은 '갇히다'예요.

1-2 친구가 쓴 문장 에서 밑줄 그은 낱말을 바르게 고친 것에 ○표를 하세요.

친구가 쓴 문장

동물원에 갔다. 좁은 우리에 <u>가친</u> 코끼리가 불쌍했다.

(1) 갇힌 (   )

(2) 갓친 (   )

▶ 정답 및 해설 26쪽

2-1 다음 문장에 넣을 바른 낱말을 골라 ◯표를 하세요.

돌이 되면 사람들을 초대해서 (회의 , 잔치)를 열었는데, 이때 상에 꼭 올라오는 떡이 있어요.

2-2 다음 초대장에서 밑줄 그은 낱말을 바르게 고쳐 쓰세요.

경호야, 내 <u>생일장치</u>에 초대할게. 우리 집에서 즐겁게 놀자.

생일 **장 치** ➡ 생일 ☐ ☐

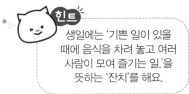

힌트
생일에는 '기쁜 일이 있을 때에 음식을 차려 놓고 여러 사람이 모여 즐기는 일.'을 뜻하는 '잔치'를 해요.

이야기 (문학)

엄마 까투리

인물의 마음을 짐작해 보자!

「엄마 까투리」를 읽고 엄마 까투리의 마음을 짐작해 보세요.
이야기의 상황이 어떠한지 살펴보고, 인물의 말과 행동을 살펴보면
엄마 까투리의 마음을 짐작할 수 있어요.

◎ 오늘 공부할 글의 그림을 미리 보고, 빈칸에 알맞은 낱말을 각각 찾아 쓰세요.

불길	장끼	까투리	비둘기

산에 불이 났어요. 꿩병아리 아홉 마리를 데리고 ❶ ☐☐ 을 피해 왼쪽,

┗→ 세차게 타오르는 불꽃.

오른쪽, 위쪽, 아래쪽으로 쫓겨 다니던 엄마 ❷ ☐☐☐ 는 더 이상 불을

┗→ 닭과 비슷한 크기인 꿩의 암컷.

피할 수 없었어요. 엄마 까투리는 어떻게 하였을까요?

엄마 까투리

권정생

스스로 독해

불길에 휩싸인 엄마 까투리와 새끼들의 마음은 어떠할까요? 점선 부분을 따라 선을 그으며 읽고 인물의 마음을 짐작해 봐요.

새끼들은 ㉠얼른얼른 엄마 날개 밑으로 숨었습니다. 엄마 까투리는 두 날개 안에 새끼들을 꼬옥 보듬어 안았습니다. 행여나 불길이 새끼들한테 덮칠까 봐 꼭꼭 보듬어 안았습니다.

새끼들은 엄마 품속에 숨으니까 뜨겁지 않았습니다. 무섭지도 않았습니다.

그렇게 엄마 까투리는 새끼들을 품고 꼼짝 않았습니다. 눈을 꼭 감고 꼼짝 않았습니다.

사나운 불길이 엄마 까투리를 휩쌌습니다. 엄마 까투리는 그래도 꼼짝 않았습니다. 뜨거워서 뜨거워서 달아나고 싶어도 꼼짝 않았습니다.

불길이 기어코 엄마 몸에 붙었습니다. 머리와 등과 날개가 한꺼번에 타기 시작했습니다. 엄마 까투리는 그래도 꼼짝 않았습니다.

오히려 품속 아기들을 위해 두 날개를 꼭꼭 오므리고 꼼짝 않았습니다.

어휘 풀이

▼ **까투리** 닭과 비슷한 크기인 꿩의 암컷. 수컷은 장끼, 암컷은 까투리라 함.

▼ **보듬어** 사람이나 동물을 가슴에 붙도록 안아.
　　　예 아버지께서 나를 꼬옥 보듬어 안아 주셨다.

▼ **행**|다행 행 **혹**|**여나** '어쩌다가 혹시'를 뜻하는 '행여'를 강조하여 이르는 말.
　　　예 나는 행여나 동생이 다칠까 걱정했다.

▼ **불길** 세차게 타오르는 불꽃. 예 집을 태운 불길이 산으로 번졌다.

▲ 까투리

▶정답 및 해설 26쪽

1
어휘

㉠ '얼른얼른' 대신 쓸 수 있는 낱말에 ◯표를 하세요.

| 빨리빨리 | 슬금슬금 | 무럭무럭 |

힌트
'얼른얼른'은 '시간을 끌지 아니하고 바로.'라는 뜻을 강조하는 말이에요.

2
이해

서술형

엄마 까투리가 처한 상황은 어떠한지 쓰세요.

엄마 까투리는 _____ 을/를 불길로부터
지키기 위해서 날개 안에 꼬옥 보듬어 안았다.

4주
1일

3
유추

스스로 독해 해결!

다음 중 엄마 까투리의 마음을 알맞게 짐작하여 말한 친구의 이름에 ◯표를 하세요.

엄마 까투리는
새끼들을 불길에서
지키고 싶은 마음인가 봐.

수현

현준

엄마 까투리는 불길이
무서워서 혼자 도망치고
싶어 하는 마음이야.

4
요약

이 글의 내용을 정리하여 빈칸에 알맞은 말을 각각 쓰세요.

불길을 피할 수 없게 되자 ❶ [   ] 는 불길이 새끼들
에게 닿지 않도록 새끼들을 꼬옥 보듬어 안았습니다. 사나운 ❷ [   ]
이 엄마 까투리를 감싸도 엄마 까투리는 꼼짝 않았습니다.

1 다음 문장에 알맞은 말을 보기 에서 각각 찾아 쓰세요.

보기

| 권 | 명 | 마리 | 자루 |

(1) 우리 반 학생은 모두 스무 　　　이다.

(2) 짝에게 연필 한 　　　　　를 빌렸다.

(3) 우리 집은 개를 세 　　　　　나 키우고 있다.

힌트
'학생', '연필', '개'를 세는 말을
찾아보세요.

2 다음 그림을 보고 반지가 어디에 있는지 알맞은 위치를 나타내는 낱말에 ◯표를 하
세요.

내 반지가
어디 있지?

반지는 등잔
(위 , 아래)에 있어요.

◉ 엄마 까투리와 새끼들이 무사히 불길을 벗어날 수 있도록 빈칸에 알맞은 방향을 가리키는 말을 각각 쓰고, 안전한 길을 찾아 선을 그어 보세요.

방향을 가리키는 말	↑ 위쪽	↓ 아래쪽	← 왼쪽	→ 오른쪽

 「엄마 까투리」에 나오는 꿩 가족들을 불길을 피해 안전한 곳까지 안내하면서 **방향을 가리키는 말**을 익힐 수 있습니다.

초콜릿이 사르르 녹는 이유는?

공부한 날   월   일

궁금한 내용을 찾아 읽어라!

초콜릿이 잘 녹는 까닭이 궁금하다면 「초콜릿이 사르르 녹는 이유는?」을
읽어 보세요. 중요한 내용에 밑줄을 긋고,
자신이 아는 내용과 새롭게 안 내용을 비교하며 읽으면 된답니다.

● 오늘 공부할 글의 사진을 미리 보고, 빈칸에 알맞은 낱말을 보기 에서 각각 찾아 쓰세요.

보기

| 고체 | 액체 | 가열 | 초콜릿 | 케이크 |

❶

카카오나무 열매의 씨를 볶아 만든 가루에 우유, 설탕, 향료 따위를 섞어 만든 것.
예 ○○○은 멕시코인들이 카카오나무의 열매를 갈아서 음료로 마신 것에서 시작되었어요.

❷

일정한 부피는 가졌으나 일정한 모양을 가지지 못한 물질.
예 초콜릿은 입안에 넣으면 부드러운 ○○로 변한다.

❸

어떤 물질에 열을 가함.
예 초콜릿은 ○○을 하지 않고 사람의 몸에 닿기만 해도 사르르 녹게 된다.

카카오나무에 대해
자세히 알아보기

초콜릿이 사르르 녹는 이유는?

스스로 독해

초콜릿이 입 안에서 사르르 녹는 까닭은 무엇일까요? 점선 부분을 따라 선을 그으며 읽어 보고 답을 생각해 보세요.

초콜릿은 기원전 1500년쯤에 멕시코인들이 카카오나무의 열매를 갈아서 음료로 마신 것에서 시작되었어요. 초콜릿 한 조각을 입에 넣으면 딱딱했던 초콜릿이 어느새 사르르 녹으면서 달콤한 맛과 향기가 입안에 가득 퍼져요. 딱딱한 고체가 부드러운 액체로 변하며 맛과 향을 내는 것은 재료의 맛을 가장 잘 살릴 수 있는 과학적인 방법이에요.

초콜릿의 원료인 카카오 버터는 사람의 체온과 비슷한 34도에서 녹는 특징이 있어요. ㉠ 가열을 하지 않고 사람의 몸에 닿기만 해도 사르르 녹게 돼요. 카카오 버터의 이러한 특징 때문에 입 안에 초콜릿을 넣거나, 손으로 초콜릿을 잡고만 있어도 초콜릿이 사르르 녹는 거예요.

어휘 풀이

▼ **기원전**|벼리 기 紀, 으뜸 원 元, 앞 전 前| 연대를 계산하는 데에 기준이 되는 해 이전. 주로 예수가 태어난 해를 기준으로 그 이전을 이름. 예 기원전 57년에 박혁거세가 신라를 세웠다.

▼ **고체**|굳을 고 固, 몸 체 體| 일정한 모양과 부피가 있으며 쉽게 모양이 변하지 않는 물질의 상태. 나무, 돌, 쇠, 얼음 따위의 상태. 예 고체 상태의 버터를 녹여서 반죽에 섞어 주세요.

▼ **액체**|진 액 液, 몸 체 體| 일정한 부피는 가졌으나 일정한 모양을 가지지 못한 물질. 예 액체 상태의 물을 끓이면 기체가 된다.

▼ **가열**|더할 가 加, 더울 열 熱| 어떤 물질에 열을 가함. 예 설탕이 들어 있는 냄비를 가열해 보세요.

1
문법

다음 중 ⑦ 안에 들어갈 말로 알맞은 것에 ◯표를 하세요.

그러나
앞뒤의 일이 서로 반대될 때

그래서
앞의 일로
뒤의 일이 일어날 때

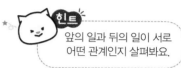

힌트
앞의 일과 뒤의 일이 서로
어떤 관계인지 살펴봐요.

2
이해

다음 문장에서 초콜릿에 대한 설명으로 알맞은 말에 ◯표를 하세요.

초콜릿은 기원전 1500년쯤에 (멕시코인 , 일본인)들이 카카오나무의 열매를 갈아서 음료로 마신 것에서 시작되었다.

서술형

3
이해

초콜릿이 재료의 맛을 살리는 방법에 대한 설명을 알맞게 쓰세요.

초콜릿처럼 딱딱한 고체가 ＿＿＿＿＿＿＿＿＿＿＿＿＿＿ 변하며
맛과 향을 내는 것은 재료의 맛을 가장 잘 살릴 수 있는 과학적인 방법이다.

스스로 독해 해결!

4
요약

초콜릿이 입안에서 사르르 녹는 까닭을 정리하여 빈칸에 알맞은 말을 쓰세요.

원인	❶ ＿＿＿＿＿ 는 사람의 체온과 비슷한 34도에서 녹는 특징이 있다.
결과	초콜릿을 입 안에 넣거나 손으로 잡고만 있어도 초콜릿이 사르르 ❷ ＿＿＿＿.

4주
2일

1 다음 낱말의 뜻을 읽고, 사진 속 초콜릿의 상태에 알맞은 낱말을 보기 에서 각각 찾아 쓰세요.

> 보기
>
> 고체 일정한 모양과 부피가 있으며 쉽게 모양이 변하지 않는 물질의 상태. 나무, 돌, 쇠, 얼음 따위의 상태.
>
> 액체 일정한 부피는 가졌으나 일정한 모양을 가지지 못한 물질.

(1)

(   )

(2)

(   )

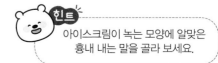

힌트
초콜릿은 온도 변화에 따라 고체도 되고, 액체도 될 수 있어요.

2 다음 문장에 알맞은 낱말을 골라 ○표를 하세요.

아이스크림이 입 안에서 (부르르 , 사르르) 녹았다.

힌트
아이스크림이 녹는 모양에 알맞은 흉내 내는 말을 골라 보세요.

● 다음과 같이 초콜릿 만드는 과정을 보고, 초콜릿을 녹이려면 어떻게 해야 할지 알맞은 방법을 골라 ○표를 하세요.

1 재료용 초콜릿을 준비해요.

2 뜨거운 물 위에 재료용 초콜릿을 담은 그릇을 올려 초콜릿을 녹여요.

3 액체 상태의 초콜릿을 짜는 주머니에 넣어 원하는 모양을 만들고 꾸며 줘요.

4 초콜릿을 서늘한 곳에서 식혀 주면 예쁜 모양의 초콜릿이 돼요.

 고체 상태인 초콜릿을 녹여서 액체 상태로 만들려면 초콜릿을 담은 그릇을

(뜨거운 물 위에 올려 뜨겁게 하면 , 차가운 얼음 위에 올려 차갑게 하면) 된다.

 「초콜릿이 사르르 녹는 이유는?」의 내용을 떠올리며 온도 변화에 따라 고체가 되기도 하고 액체가 되기도 하는 **초콜릿의 특성**에 대해 알아봅니다.

은혜 모르는 호랑이

공부한 날   월   일

희곡의 대사를 실감 나게 읽어라!

희곡 「은혜를 모르는 호랑이」 에 나온 인물의 대사를 실감 나게 읽어 보세요.

인물의 대사에 알맞은 표정과 몸짓, 말투로 표현하면

대사를 실감 나게 읽을 수 있어요.

▶ 정답 및 해설 28쪽

● 오늘 공부할 글과 그림을 미리 보고, 알맞은 낱말을 각각 찾아 표시하세요.

 며칠 동안 상자에 갇혀 있던 호랑이를 지나가던 나무꾼이 구해 주었지만, 호랑이는 은혜도 모르고 나무꾼을 잡아먹으려 한다. 나무꾼은 마침 그 앞을 깡총깡총 뛰어가던 토끼에게 누가 옳은지 판결을 부탁한다.

1 '고맙게 베풀어 주는 도움이나 이익.'이라는 뜻의 낱말에 ○표를 하세요.

2 '옳고 그름이나 착하고 나쁜 것을 판단하여 결정함.'이라는 뜻의 낱말에 △표를 하세요.

은혜 모르는 호랑이

스스로 독해

인물의 대사를 어떻게 읽어야 실감 날까요? 각 인물의 대사에 어울리는 표정, 몸짓, 말투를 떠올리며 대사를 실감 나게 읽어 보세요.

며칠 동안 상자에 갇혀 있던 호랑이를 지나가던 나무꾼이 구해 주었지만, 호랑이는 ⊙은혜도 모르고 나무꾼을 잡아먹으려 한다. 나무꾼은 마침 그 앞을 깡총깡총 뛰어가던 토끼에게 누가 옳은지 판결을 부탁한다.

토끼: (머리를 긁적이며) 글쎄요, 저는 말만 들어서는 누가 옳은지 모르겠어요. 처음부터 어떤 일이 있었는지 직접 보여 주세요.

호랑이: (상자 속으로 들어가며) 어휴, 이렇게 간단한 것도 모르겠니? 내가 이렇게 상자에 갇혀 살려 달라고 외치고 있었단 말이다.

토끼: (얼른 상자를 잠그며) 아하, 이제 알겠어요. 그럼 모든 것이 원래대로 되었으니 저는 이만 가 볼게요.

나무꾼: (ⓛ) 토끼님, 정말 감사합니다!

그제야 토끼의 꾀를 눈치챈 나무꾼은 얼른 토끼를 따라 그곳을 떠난다. 다시 상자에 갇힌 호랑이는 살려 달라고 소리친다.

어휘 풀이

▼ **은혜**|은혜 은 恩, 은혜 혜 惠| 고맙게 베풀어 주는 도움이나 이익. 예 이 은혜는 꼭 갚겠습니다.

▼ **판결**|판단할 판 判, 결단할 결 決| 옳고 그름이나 착하고 나쁜 것을 판단하여 결정함.
예 원님의 공정한 판결은 온 마을에 알려졌다.

▼ **꾀** 일을 잘 꾸며 내거나 해결해 내거나 하는, 묘한 생각이나 수단. 예 토끼는 꾀를 써서 용궁을 빠져나왔다.

1
어휘

다음 빈칸에 ㉠'은혜'가 들어가기에 알맞은 말을 한 동물에 ◯표를 하세요.

> 사슴: 나무꾼님, 얼마 전에 저를 사냥꾼으로부터 숨겨 주신 [   ] 를 갚
> 으러 왔습니다.
> 뱀: 나무꾼님, 당신이 얼마 전에 잡아 죽인 뱀은 저의 남편이었습니다. 그
> [   ] 를 갚으러 왔습니다.

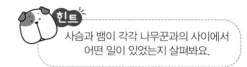

힌트

사슴과 뱀이 각각 나무꾼과의 사이에서
어떤 일이 있었는지 살펴봐요.

2
이해

서술형

토끼가 나무꾼을 어떻게 구해 주었는지 빈칸에 알맞은 말을 쓰세요.

> 토끼는 꾀를 내어 호랑이를 _____

4주
3일

3
유추

스스로 독해 해결!

㉡ 안에 들어갈 말과 그 말을 표현한 표정으로 알맞은 것에 ◯표를 하세요.

(1)

화를 내며
(   )

(2)

무서워하며
(   )

(3)

환하게 웃으며
(   )

4
요약

다음 빈칸에 알맞은 등장인물을 각각 써넣어 이 글의 내용을 정리하세요.

> ❶ [   ] 이 상자에 갇혀 있던 호랑이를 구해 주었지만, 호랑이는
> 은혜도 모르고 나무꾼을 잡아먹으려 한다. 나무꾼은 호랑이와 자신 중 누가
> 옳은지 판결해 달라고 ❷ [   ] 에게 부탁을 하고, 토끼는 꾀를 내어
> ❸ [   ] 가 스스로 상자에 들어가게 만들어 가둔다.

1 다음 빈칸에 알맞은 문장 부호를 보기 에서 각각 찾아 쓰세요.

보기

 물음표: 질문하는 말 뒤에 쓰는 문장 부호.

 느낌표: 감탄을 나타내는 말 뒤에 쓰는 문장 부호.

 쉼표: 부르는 말이나 대답하는 말 뒤에 쓰는 문장 부호.

호랑이: 어휴, 이렇게 간단한 것도 모르겠니 (1) ☐

나그네: 토끼님 (2) ☐ 정말 감사합니다!

2 다음 보기 에서 알맞은 말을 골라 빈칸에 써서 자연스러운 문장을 완성하세요.

보기

이   가

(1)  호랑이 ☐ 하는 말이 옳습니다. 사람도 산짐승을 사냥해 잡아먹으니까 호랑이에게 잡아먹혀도 된다고 생각해요.

(2) 나무꾼 ☐ 하는 말이 옳습니다. 목숨을 구해 준 나무꾼을 잡아먹는 것은 옳지 않기 때문이에요.

힌트
앞에 오는 낱말의 끝에 받침이 있을 때는 '이'를 쓰고, 받침이 없을 때는 '가'를 써요.

▶ 정답 및 해설 28쪽

● 다음은 「은혜 모르는 호랑이」의 마지막 장면을 연극으로 꾸민 것입니다. 다음 장면에서 호랑이의 표정이 어떠할지 상상하여 호랑이 얼굴에 어울리는 눈과 입을 그려 보세요.

장면 설명

토끼의 꾀를 눈치 챈 나무꾼은 얼른 토끼 뒤를 따라 그곳을 떠난다. 다시 상자에 갇힌 호랑이는 살려 달라고 소리친다.

「은혜 모르는 호랑이」의 내용을 떠올리며 **장면에 어울리는 호랑이의 표정**을 생각해 봅니다.

기쁜 날 먹는 떡

공부한 날 　 월 　 일

글의 중심 내용을 찾아라!

「기쁜 날 먹는 떡」을 읽으며 중심 내용을 찾아보세요.

먼저 제목을 보고 내용을 짐작해 보고, 글을 읽으며

무엇을 설명하고 있는지 확인해 보면 중심 내용을 찾을 수 있어요.

● 오늘 공부할 글의 그림을 미리 보고, 빈칸에 알맞은 낱말을 각각 찾아 쓰세요.

| 회의 | 백설기 | 잔치 | 복숭아 |

아기의 첫 생일인 돌에 ❶ ☐☐ 를 열면 상에 꼭 올라오는 떡이 있어요.

↳기쁜 일이 있을 때에 음식을 차려 놓고 여러 사람이 모여 즐기는 일.

바로 ❷ ☐☐☐ 와 수수경단이에요. 이 떡들에는 어떤 마음이 담겨 있을

↳쌀가루를 불려서 찐 하얀 떡.

까요?

떡에 대해
자세히 알아보기

기쁜 날 먹는 떡

아기가 태어나 처음 맞이하는 생일을 '▾돌'이라고 해요. 돌이 되면 사람들을 초대해서 잔치를 열었는데, 이때 상에 꼭 올라오는 떡이 있어요. 바로 ▾백설기와 ▾수수경단이에요.

백설기는 쌀가루에 설탕을 섞어 찐 떡으로, 아기가 건강하게 오래 살기를 바라는 마음이 담겨 있어요.

한입에 먹기 좋도록 작고 둥글게 만든 수수경단에는 콩가루나 팥 등의 ㉠고물이 묻어 있는데, 이는 나쁜 기운을 물리치려는 뜻이 담겨 있답니다.

▲ 백설기

▲ 수수경단

어휘 풀이

▼**돌** 어린아이가 태어난 날로부터 한 해가 되는 날. 예 내일이 동생 돌이다.

▼**백**|흰 백 白|**설기** 쌀가루를 불려서 찐 하얀 떡. 예 떡집에 하얀 백설기가 맛있어 보인다.

▼**수수경단**|붉은 옥 경 瓊, 둥글 단 團| 찰수수 가루를 찬물에 반죽하여 둥글게 빚어 녹말을 묻히고 삶아서 찬물에 건져 식힌 다음 팥고물을 묻히거나 꿀물에 적신 음식.

1
이해

다음 빈칸에 들어갈 알맞은 말은 무엇인가요? (   )

이 글은 돌 때 상에 올라오는 ⬚⬚⬚ 에 대해 설명하는 글이다.

① 떡   ② 국   ③ 그릇
④ 케이크   ⑤ 장난감

힌트
백설기나 수수경단도
이것에 속해요.

서술형

2
이해

'백설기'는 어떻게 만들어진 떡인지 글에서 찾아 쓰세요.

백설기는 ＿＿＿＿＿＿＿＿＿＿＿＿＿＿＿＿＿＿＿ 떡입니다.

4주
4일

3
어휘

다음 대화를 읽고, ㉠'고물'의 뜻을 알맞게 짐작하여 말한 사람의 이름을 쓰세요.

진우: 내 생각에는 헐거나 낡은 물건을 뜻하는 것 같아.
연아: 앞의 내용으로 보아 떡에 묻히거나 뿌리는 가루로 된 재료 같아.

(   )

스스로 독해 해결!

4
요약

이 글의 중심 내용을 정리하여 빈칸에 알맞은 말을 각각 쓰세요.

돌 때 상에 꼭 올리는 떡

백설기

아기가 ❶ ⬚⬚
⬚⬚ 하게 오래
살기를 바라는 마
음이 담겨 있음.

❷ ⬚⬚⬚⬚⬚

나쁜 기운을 물
리치려는 뜻이 담
겨 있음.

1 다음 문장의 밑줄 그은 낱말은 형태는 같지만 뜻이 다른 낱말이에요. 문장에 알맞은 뜻을 찾아 각각 선으로 이으세요.

(1) 동생의 <u>돌</u>을 맞아서 우리 가족은 잔치를 열었다. ·

· ① 흙 따위가 굳어서 된 단단한 덩어리.

(2) 아이들이 던진 <u>돌</u>에 맞아서 창문이 깨졌다. ·

· ② 어린아이가 태어난 날로부터 한 해가 되는 날.

2 다음 그림 속 호랑이에게 어떤 떡을 주어야 할지 알맞은 것에 ◯표를 하세요.

어흥! 한입에 먹기 좋도록 작고 둥글게 만들어 콩가루나 팥을 묻힌 떡 하나 주면 안 잡아먹지!

(1)

▲ 개피떡

( )

(2)

▲ 무지개떡

( )

(3)

▲ 수수경단

( )

힌트
호랑이의 말에서 이 떡을 만드는 방법과 모양을 알 수 있어요.

◉ 어머니께서 돌잔치 상에 올릴 음식을 준비하셨어요. 여러 음식들 중에서 돌잔치 상에 올
릴 음식으로 알맞은 것을 두 가지 골라 ◯표를 하고, 사다리 타기를 통해 그 음식에 담긴
마음을 알아봐요.

4주
4일

「기쁜 날 먹는 떡」을 읽고 새롭게 안 내용을 바탕으로 **돌잔치 상에 올라가는 떡**과 그 떡에 담긴 **마음**을 알아봅
니다.

장수풍뎅이 키우기

공부한 날   월   일

글에서 필요한 정보를 찾아라!

「장수풍뎅이 키우기」를 읽고 장수풍뎅이 키우는 방법을 찾아보세요.

먼저 자신에게 필요한 정보가 무엇인지 생각해 보고,

자신에게 필요한 정보가 있는 부분을 찾아 자세히 읽어 봐요.

● 오늘 공부할 글의 사진을 미리 보고, 빈칸에 알맞은 낱말을 보기 에서 각각 찾아 쓰세요.

보기

| 오염 | 환경 | 곤충 | 야행성 | 위험성 |

❶

나비, 잠자리, 벌 등과 같이 머리, 가슴, 배 세 부분으로 되어 있고 몸에 마디가 많은 작은 동물.

예 장수풍뎅이는 키우고 싶어 하는 사람들이 많은 ○○이에요.

❷

생물에게 직접·간접으로 영향을 주는 자연적 조건이나 사회적 상황.

예 장수풍뎅이를 키우려면 기르는 ○○을 자연 상태와 비슷하게 꾸며 주어야 해요.

❸

낮에는 쉬고 밤에 활동하는 동물의 습성.

예 장수풍뎅이는 ○○○ 동물이에요.

장수풍뎅이에 대해
자세히 알아보기

스스로 독해

장수풍뎅이를 키우기 위해 알아야 할 내용에는 어떤 것들이 있을까요? 자신에게 필요한 정보가 무엇인지 생각하며 점선 부분을 따라 선을 그으며 읽어 보세요.

장수풍뎅이 키우기

● 장수풍뎅이 소개

장수풍뎅이는 몸집이 크고, 수컷의 머리에 크고 멋진 뿔 모양의 돌기가 있어 키우고 싶어 하는 사람들이 많은 곤충이에요.

● 장수풍뎅이를 키우는 방법

장수풍뎅이를 키우기 위해서는 장수풍뎅이가 사는 자연 환경과 비슷한 환경을 마련해 주어야 건강하게 키울 수 있어요.

우선 장수풍뎅이의 집을 만들기 위해 상자와 나뭇조각, 톱밥 등을 준비해 꾸며 주어요. 나무에 매달려 생활하는 장수풍뎅이를 위해서 나뭇조각은 매달려 놀 수 있는 것과 먹이를 놓을 수 있도록 구멍이 파인 것을 각각 준비해 주는 것이 좋아요. 톱밥은 넉넉히 깔아 주어서 야행성인 장수풍뎅이가 그 속에 숨어 쉴 수 있게 해 주세요.

집이 완성되면 장수풍뎅이를 넣고 젤리나 복숭아, 포도 등 수분이 많고 단맛이 나는 과일을 먹이로 넣어 주세요.

어휘 풀이

▼ **환경** |고리 환 環, 지경 경 境 | 생물에게 직접·간접으로 영향을 주는 자연적 조건이나 사회적 상황.
　㉐ 동물 보호를 위해 환경부터 보호해야 합니다.

▼ **톱밥** 톱으로 켜거나 자를 때에 나무 따위에서 쓸려 나오는 가루. ㉐ 나무를 자르자 톱밥이 나왔다.

▼ **야행성** |밤 야 夜, 다닐 행 行, 성품 성 性 | 낮에는 쉬고 밤에 활동하는 동물의 습성. ㉐ 박쥐는 야행성 동물이다.

▼ **수분** |물 수 水, 나눌 분 分 | 축축한 물의 기운. ㉐ 오이는 수분이 많은 채소이다.

1
이해

장수풍뎅이를 키우기 위해 알아야 할 내용을 바르게 말한 사람의 이름을 쓰세요.

> 연아: 장수풍뎅이와 사슴벌레를 싸움 붙이면 누가 이길지 알고 싶어.
>
> 성호: 장수풍뎅이는 어디서 키워야 하지? 그리고 장수풍뎅이가 무엇을 먹는지 알고 싶어.

(   )

2
유추

다음은 장수풍뎅이 암컷과 수컷입니다. 이 중에서 수컷을 찾아 ○표를 하세요.

(1)    (2)

> **힌트**
> 수컷 장수풍뎅이의 머리에는 크고 멋진 뿔 모양의 돌기가 있어요.

4주
5일

3
이해

서술형

장수풍뎅이 집을 꾸미는 방법을 정리해 빈칸에 알맞은 말을 쓰세요.

> 1. 상자, 나뭇조각, 톱밥 등을 준비한다.
> 2. 나뭇조각은 매달려 놓을 수 있는 것과 먹이를 놓을 수 있도록 구멍이 파인 것을 각각 준비한다.
> 3. _____ 야행성인 장수풍뎅이가 그 속에 숨어 쉴 수 있게 해 준다.

4
요약

장수풍뎅이 키우는 방법을 정리하여 빈칸에 알맞은 말을 각각 쓰세요.

장수풍뎅이를 키우는 방법	집 만들기	❶ _____ 와 나뭇조각, 톱밥 등을 준비하여 집을 꾸며 줌.
	먹이 주기	❷ _____ 나 복숭아, 포도 등 수분이 많고 단맛이 나는 과일을 먹이로 줌.

1 다음 문장의 낱말 중 바르게 쓴 낱말에 ◯표를 하세요.

(1) 장수풍뎅이는 다른 곤충에 비해 (몸집 , 몸찝)이 크다.

(2) 장수풍뎅이의 집은 상자, 나뭇조각, (톱밥 , 톱빱) 등을 이용해 만든다.

힌트
'몸집'과 '톱밥'은 글자와 소리가 다른 낱말이에요.

2 다음 보기 에서 '곤충'에 포함되는 낱말과 '과일'에 포함되는 낱말을 각각 골라 빈칸에 쓰세요.

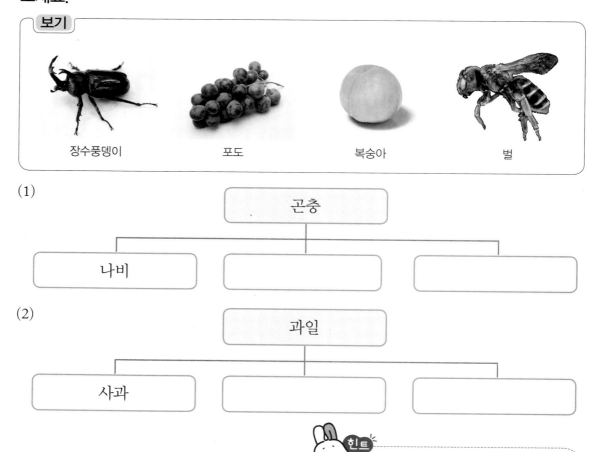

보기

장수풍뎅이   포도   복숭아   벌

(1)

곤충

나비

(2)

과일

사과

힌트
어떤 것을 '곤충'이라고 묶을 수 있는지, 어떤 것을 '과일'이라고 묶을 수 있는지 생각해 봐요.

● 준호는 누에를 키워 보려고 하는데 누에는 무엇을 먹는지 모르겠대요. 글에서 필요한 정보를 찾아 준호가 준비한 먹이 중에서 누에의 먹이로 알맞은 것에 ◯표를 하세요.

● 누에란?

누에는 옛날부터 명주실을 얻기 위해 기르던 누에 나방의 애벌레예요. 알, 애벌레(누에), 번데기, 나방의 네 단계를 거쳐 완전 탈바꿈을 하는 곤충이어서 곤충의 한살이를 관찰하기에 알맞은 곤충이랍니다.

● 누에 키우기

누에의 집을 꾸미는 데에는 투명한 플라스틱 상자만 있으면 충분해요. 여기에 누에의 먹이가 되는 뽕잎을 넣어 주면 누에가 뽕잎 위에 매달려 뽕잎을 먹으며 자랍니다. 누에는 다른 먹이는 먹지 않으니 깨끗한 뽕잎을 충분히 구해 놓아야 해요.

준호가 준비한 먹이

▲ 젤리   ▲ 배추   ▲ 뽕잎

▲ 수박   ▲ 애벌레   ▲ 과자

 누에는 한 가지 먹이밖에 안 먹는다고 했으니까 (젤리 , 배추 , 뽕잎 , 수박 , 애벌레 , 과자)을/를 준비하면 돼요.

 「장수풍뎅이 키우기」의 내용을 떠올리며 이번에는 **누에 키우는 방법**을 알아봅니다.

[1~3] 다음 글을 읽고, 물음에 답하세요.

> 새끼들은 얼른얼른 엄마 날개 밑으로 숨었습니다. 엄마 까투리는 두 날개 안에 새끼들을 꼬옥 보듬어 안았습니다. 행여나 불길이 새끼들한테 덮칠까 봐 꼭꼭 보듬어 안았습니다.
>
> 새끼들은 엄마 품속에 숨으니까 뜨겁지 않았습니다. 무섭지도 않았습니다.
>
> 그렇게 엄마 까투리는 새끼들을 품고 꼼짝 않았습니다. 눈을 꼭 ㉠감고 꼼짝 않았습니다.
>
> 사나운 불길이 엄마 까투리를 휩쌌습니다. 엄마 까투리는 그래도 꼼짝 않았습니다.

1 엄마 까투리와 새끼들에게 어떤 일이 생겼나요? (   )

① 길을 잃었다.
② 산에 불이 났다.
③ 비가 많이 내렸다.
④ 먹이를 구할 수 없었다.
⑤ 무서운 독수리가 나타났다.

2 엄마 까투리의 마음으로 알맞은 것을 골라 ◯표를 하세요.

(1) 새끼들을 배불리 먹여야 해.

(   )

(2) 불길에서 새끼들을 무사히 지켜야 해.

(   )

3 ㉠과 뜻이 반대인 낱말은 무엇인가요?

(   )

① 열고   ② 풀고   ③ 잡고
④ 뜨고   ⑤ 내리고

[4~5] 다음 글을 읽고, 물음에 답하세요.

> 초콜릿 한 조각을 입에 넣으면 딱딱했던 초콜릿이 어느새 사르르 녹으면서 달콤한 맛과 향기가 입안에 가득 퍼져요. ㉠ 고체가 ㉡ 액체로 변하며 맛과 향을 내는 것은 재료의 맛을 가장 잘 살릴 수 있는 과학적인 방법이에요.
>
> 초콜릿의 원료인 카카오 버터는 사람의 체온과 비슷한 34도에서 녹는 특징이 있어요. 그래서 가열을 하지 않고 사람의 몸에 닿기만 해도 사르르 녹게 돼요.

4 이 글을 읽고 알 수 있는 것은 무엇인가요? 알맞은 것에 ◯표를 하세요.

(1) 초콜릿을 만드는 방법   (   )
(2) 초콜릿이 잘 녹는 까닭   (   )
(3) 초콜릿으로 유명한 나라   (   )

5 ㉠ 과 ㉡ 안에 들어갈 말을 보기 에서 각각 찾아 쓰세요.

> **보기**
>
> 빠른   부드러운   딱딱한

(1) ㉠: (   )
(2) ㉡: (   )

6 다음 글에서 토끼의 대사에 어울리는 말투는 무엇인가요? (   )

> 호랑이: (상자 속으로 들어가며) 어휴, 이렇게 간단한 것도 모르겠니? 내가 이렇게 상자에 갇혀 살려 달라고 외치고 있었단 말이다.
>
> 토끼: (얼른 상자를 잠그며) 아하, 이제 알겠어요. 그럼 모든 것이 원래대로 되었으니 저는 이만 가 볼게요.

① 화난 말투
② 슬퍼하는 말투
③ 궁금한 말투
④ 망설이는 말투
⑤ 밝고 씩씩한 말투

[7~8] 다음 글을 읽고, 물음에 답하세요.

> 돌이 되면 사람들을 초대해서 잔치를 열었는데, 이때 상에 꼭 올라오는 떡이 있어요. 바로 백설기와 수수경단이에요.
>
> 백설기는 쌀가루에 설탕을 섞어 찐 떡으로, 아기가 건강하게 오래 살기를 바라는 마음이 담겨 있어요.
>
> 한입에 먹기 좋도록 작고 둥글게 만든 수수경단에는 콩가루나 팥 등의 고물이 묻어 있는데, 이는 나쁜 기운을 물리치려는 뜻이 담겨 있답니다.

7 무엇에 대해 설명하는 글인가요? 알맞은 낱말을 빈칸에 쓰세요.

• [   ] 때 상에 꼭 올라오는 떡

8 다음은 무엇에 담겨 있는 마음인지 쓰세요.

> 아기가 건강하게 오래 살기를 바라는 마음

(   )

[9~10] 다음 글을 읽고, 물음에 답하세요.

> ● 장수풍뎅이를 키우는 방법
>
> 우선 장수풍뎅이의 집을 만들기 위해 상자와 나뭇조각, 톱밥 등을 준비해 꾸며 주어요. 나무에 매달려 생활하는 장수풍뎅이를 위해서 나뭇조각은 매달려 놀 수 있는 것과 먹이를 놓을 수 있도록 구멍이 파인 것을 각각 준비해 주는 것이 좋아요. 톱밥은 넉넉히 깔아 주어서 ㉠야행성인 장수풍뎅이가 그 속에 숨어 쉴 수 있게 해 주세요.

9 장수풍뎅이 집을 만드는 방법을 잘못 말한 친구에게 ×표를 하세요.

(1) 영훈: 상자와 나뭇조각, 톱밥이 필요해.
(   )

(2) 은성: 나뭇조각은 구멍이 파인 것만 준비하면 돼.
(   )

(3) 소라: 장수풍뎅이가 숨어 쉴 수 있게 톱밥을 넉넉히 깔아 주어야 해. (   )

10 ㉠'야행성'의 뜻은 무엇인가요? 알맞은 낱말을 골라 ○표를 하세요.

• (1) (낮 , 밤)에는 쉬고 (2) (낮 , 밤)에 활동하는 동물의 습성.

창의

1 다음 만화를 읽고, 4주차에서 배운 낱말을 떠올려 어휘 퀴즈에 알맞은 낱말을 빈칸에 각각 쓰세요.

▶ 정답 및 해설 31쪽

4주

특강

🐻 어휘 퀴즈

① '세차게 타오르는 불꽃.'을 뜻하는 말은? →

② '나비, 잠자리, 벌 등과 같이 머리, 가슴, 배 세 부분으로 되어 있고 몸에 마디가 많은 작은 동물.'을 뜻하는 말은? →

③ '소년은 스승의 ○○에 보답했다.'의 빈칸에 들어갈 알맞은 말은? →

코딩

2 장수풍뎅이의 집을 만들어 주었어요. 장수풍뎅이가 젤리와 과일 먹이를 모두 먹고 나뭇가지에 도착할 수 있도록 빈칸에 알맞은 숫자를 넣어 코딩 명령을 완성하세요.

코딩 명령

- 시작하기 버튼을 클릭했을 때
- ☐ 번 반복하기
- → 방향으로 **1** 칸 움직이기
- ↓ 방향으로 **1** 칸 움직이기

코딩 명령 풀이
장수풍뎅이는 출발 지점에서 → 방향으로 한 칸, ↓ 방향으로 한 칸 이동해요. 이것을 몇 번 반복해야 할까요?

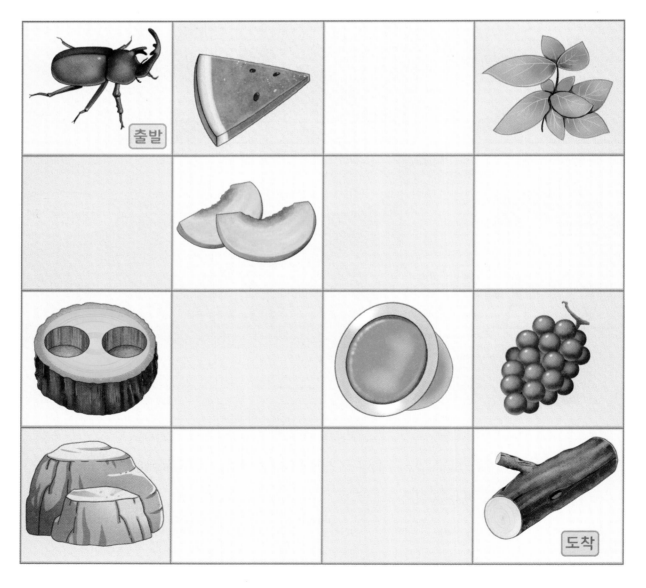

융합

3 민아가 돌잔치에 가서 가족사진을 찍었어요. 민아가 소개하는 친척은 누구인지 가족사진에서 각각 찾아 표시하세요.

4주
특강

민아

(1) 아버지의 누나예요. 가족사진에서 찾아 친척을 부르는 말에 ◯표를 하세요.

(2) 아버지의 어머니예요. 가족사진에서 찾아 친척을 부르는 말에 △표를 하세요.

(3) 아버지 남동생의 아들이에요. 가족사진에서 찾아 친척을 부르는 말에 ☐표를 하세요.

창의

4

생활 어휘

다음 안내문을 보고 알맞은 말을 골라 ◯표를 하세요.

수영장 이용 시 주의 사항

1. 수영장 입장 전에 반드시 10분간 준비 운동을 하고 들어가세요.
2. 수영장 주변이 미끄러우므로 절대 뛰지 마세요.
3. 수영장 깊이가 얕으니 수영장에서 다이빙을 하지 마세요.
4. 30분간 수영하고 나면 꼭 10분간 휴식하세요.
5. 13살 이하 친구들은 부모님 동반 시 들어올 수 있어요.

천재 수영장 관리자

수영장에서 주의할 사항을 알리는 안내문이네.

주의 사항? 중요한 내용 같은데? 뭐라고 쓰여 있는지 잘 읽어 봐야겠다.

애들아! 주의 사항이라고 쓰여 있으니까 (1)(조심해야 , 빨리해야) 하는 사항이야. 30분간 수영하고 나면 꼭 10분간 휴식하라고 했으니까 30분마다 편히 (2)(청소해 , 쉬어). 그리고 13살 이하 친구들은 부모님이 (3)(있어야 , 없어도) 수영장에 들어갈 수 있어.

어휘 풀이

▼**주의**|물댈 주 注, 뜻 의 意|　마음에 새겨 두고 조심함. ⑩ 선생님께서 주의할 내용을 알려 주셨다.

▼**다이빙**　수영에서, 높은 곳에서 뛰어 머리를 먼저 물속에 잠기게 하여 들어가는 일을 겨루는 경기.

▼**휴식**|쉴 휴 休, 숨 쉴 식 息|　하던 일을 멈추고 잠깐 쉼. ⑩ 청소 중간에 휴식을 하였다.

▼**이하**|써 이 以, 아래 하 下|　수량이나 정도가 일정한 기준을 포함하여 그보다 적거나 모자란 것.
　⑩ 쪽지 시험 점수가 60점 이하인 친구들은 숙제가 있습니다.

▼**동반**|같을 동 同, 짝 반 伴|　일을 하거나 길을 가는 따위의 행동을 할 때 함께 짝을 함. 또는 그 짝.
　⑩ 가족 동반으로 부산 여행을 다녀왔다.

▶ 정답 및 해설 31쪽

창의
5

생활 한자

前(앞 전) 자에 대해 알아보고, 다음 물음에 답하세요.

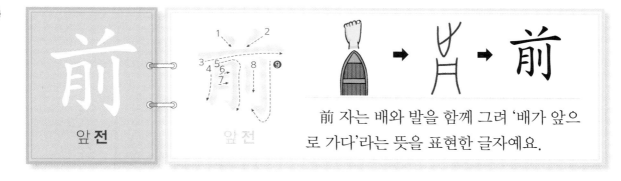

前 자는 배와 발을 함께 그려 '배가 앞으로 가다'라는 뜻을 표현한 글자예요.

(1) 前 자가 들어간 낱말을 알아보고, 한자의 음을 쓰세요.

① 형은 前年度에 중학교를 졸업하였다.

년	도

힌트
146쪽에서 공부한 '기원전'에 쓰인 前(앞 전) 자에 대해 알아봐요.

4주
특강

② 이 작가의 前作이 큰 인기를 끌었다.

작

(2) 한자 성어의 뜻을 알아보고, 빈칸에 알맞은 한자를 쓰세요.

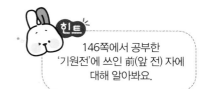

前 代 未 聞
앞 전　대신할 대　아닐 미　들을 문

'지난 시대에는 들어 본 적이 없다.'라는 뜻으로, 매우 놀랍거나 새로운 일을 이르는 말.

• 한국의 월드컵 준결승전 진출은

	代	未	聞

(전대미문)의 사건이다.

똑똑한 하루 독해 한권 끝!

독해 공부 하느라 수고했어요.
약속을 잘 지켰는지 돌아보고 ◯표를 하세요.

약속한 사람 _____

첫째, 하루하루 빠짐없이 꾸준히 공부했나요? 예 아니요

둘째, 하루 독해 문제를 끝까지 다 풀었나요? 예 아니요

셋째, 틀린 문제는 왜 틀렸는지 다시 한번 확인했나요? 예 아니요

약속을 잘 지키지 못한 부분은 스스로 돌아보고,
다음 단계를 공부할 때에는 더 열심히 해 봐요!

그럼, 다음 책으로 고고!

앞선 생각으로
더 큰 미래를 제시하는 기업

서책형 교과서에서 디지털 교과서,
참고서를 넘어 빅데이터와 AI학습에 이르기까지
끝없는 변화와 혁신으로
대한민국 교육을 선도해 나갑니다.

천재교육

빠른 정답이 들어 있어요!

똑똑한
하루
독해

정답 및 해설

2 단계
A
1~2학년

천재교육

정답과 해설
포인트 3가지

▶ 혼자서도 이해할 수 있는 친절한 문제 풀이

▶ 문제 해결에 도움을 주는 '더 알아보기'와
　틀린 부분을 짚어 주는 '왜 틀렸을까?'

▶ 예시 답안과 채점 기준 제시로 서술형 문항 완벽 대비

똑 똑 한

하루
독해

정답 및 해설

빠른 정답

1주

010쪽~011쪽

1주에는 무엇을 공부할까? ❷

1-1 커다란   1-2 (2) ○

2-1 밟고   2-2 밟지

012쪽~017쪽   1주 1일

독해 미리 보기

1 쑥쑥   2 엄청나게

독해

1 무   2 (1) 야옹이 (2) 야옹이 (3) 찍찍이

3 (2) ○   4 ❶ 무씨   ❷ 할아버지

독해 어휘

1 알   2 (2) ×

독해 게임

018쪽~023쪽   1주 2일

독해 미리 보기

❶ 소화   ❷ 초식   ❸ 육식

독해

1 작은   2 ⑤

3 나오는 가스에서 냄새가 많이 나서 등

4 ❶ 방귀   ❷ 크기

독해 어휘

1 (1) 초식   (2) 육식

2 (1) ○ → | 방 | 귀 | 를 | ∨ | 뀌 | 다 | . |

독해 게임

(1) 육식   (2) 지독하겠네요

024쪽~029쪽   1주 3일

독해 미리 보기

❶ 웅덩이   ❷ 마당

독해

1 ②, ③   2 하늘, 구름, 별

3 (1) ○   4 ❶ 웅덩이   ❷ 마당

독해 어휘

1 (1) ② (2) ①   2 (1) 닥 (2) 익 (3) 막

독해 게임

(2) ○

030쪽~035쪽   1주 4일

독해 미리 보기

❶ 괴   ❷ 개

독해

1 되는대로 아무렇게나 써 놓은 등

2 ❷ ○   3 (1) ○   4 ❶ 고양이   ❷ 괴발개발

독해 어휘

1 예서   2 마구, 되는대로

독해 게임

(1) 까치발   (2) 오리발

036쪽~041쪽   1주 5일

독해 미리 보기

❶ 쫑긋하다   ❷ 따르다   ❸ 실종

독해

1 (3) ×   2 (1) 24일 (일요일)   (2) 금빛 공원

3 (4) ○   4 ❶ 탄이   ❷ 연락

독해 어휘

1 (1) 쫑긋하다   (2) 짧다   2 (1) 따른다   (2) 따른다

독해 게임

042쪽~043쪽

누구나 100점 테스트

1 무	**2** ④	**3** ③	**4** 효재
5 고기	**6** (3) ○	**7** (1) ② (2) ①	
8 (1) ○	**9** ④	**10** ①	

044쪽~049쪽

1주 특강

1 ❶ 엄청나게 ❷ 사례 ❸ 소화

2 ❷ 1 ❸ 1 ❹ 2

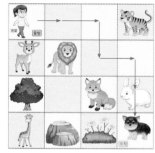

3 (2) ○　　　　**4** (1) 급한 (2) 부르기 (3) 낮과 밤

5 (1) ① 실 수 　② 실 망

　　(2) 小 貪 大 失

060쪽~065쪽

2주 2일

독해 미리 보기

　❶ 옹기　　❷ 가마솥　　❸ 맷돌

독해

1 (2) ○　　　　　　**2** (2) ○

3 시간과 힘 등　　　**4** ❶ 옹기 ❷ 가마솥 ❸ 맷돌

독해 어휘

1 (1) 되었어요　(2) 옛날　(3) 도구예요

2 (1) 마니　(2) 마가　(3) 사라

독해 게임

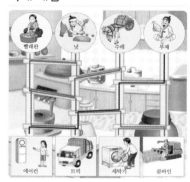

(1) 불편한　(2) 나은

2주

052쪽~053쪽

2주에는 무엇을 공부할까? ❷

1-1 (2) ○　　　　**1-2** 도구

2-1 무사할까요　　**2-2** (1) ○

054쪽~059쪽

2주 1일

독해 미리 보기

1 부러워했지　　　　**2** 졸졸

독해

1 (2) ○　　　　　　**2** 술을 잘 마시는 수탉 등

3 (1) ○　　　　　　**4** ❶ 힘자랑 ❷ 수탉

독해 어휘

1 (1) 수탉　(2) 암탉　　**2** (1) ③ (2) ① (3) ②

독해 게임

(1) 크고　(2) 길고　(3) 따뜻하게

066쪽~071쪽

2주 3일

독해 미리 보기

　❶ 마른　❷ 뚱뚱한　❸ 엎드려

독해

1 ①　　　　　　**2** ㉢, ㉡, ㉣, ㉠

3 모른 체하는 등　　**4** ❶ 곰 ❷ 어려움

독해 어휘

1 (3) ×

2
> "친구, ∨어디 다친 데는 없나? ∨그런데 아까 곰이 친구 귀에 대고 뭐라고 말하는 것 같던데, ∨무슨 말을 하던가?" ∨
>
> "어려움에 처한 친구를 모른 체하는 사람과는 함께 다니지 말라고 하더군." ∨
>
> 작고 뚱뚱한 친구는 이렇게 말하고는 혼자서 길을 떠났단다.

독해 게임

(1) 10　(2) 2　(3) 20　(4) 스무

독해 미리 보기

❶ 연구소　❷ 반응　❸ 실험

독해

1 (2) ○　　**2** (1) ○　(4) ○

3 곰을 따돌린 후 등　**4** ❶ 실험　❷ 반대

독해 어휘

1 (2) ○　**2** (1) ② ×　(2) ③ ×

독해 게임

(1) 쫓아와서　(2) 도망쳐야

독해 미리 보기

❶ 사고　❷ 주의　❸ 통학

독해

1 (2) ○　　**2** ③

3 통학 버스 안에서 생기는 사고 등

4 ❶ 안전띠　❷ 장난

독해 어휘

1 (1) 급회전　(2) 급정거　(3) 급출발

2 (1) ②　(2) ①

독해 게임

기호	♠	♥	♦	★	◉	♣
나타내는 글자	통	도	전	스	안	학

→ 안 전

1 성아　　**2** (1) 젊었을　(2) 힘이 세고

3 ⑤　　**4** 옹기, 맷돌　　**5** ②

6 죽은　　**7** (3) ○　　**8** (3) ○

9 ④　　**10** 통학 버스

1 ❶ 세월　❷ 장독대　❸ 영양소

2 믹서

3

4 (1) 미리 막고　(2) 만들려고

5 (1) ① 반 성　② 반 칙

　(2) 賊 反 荷 杖

1-1 쪼개자　　　**1-2** 쪼개

2-1 (2) ○　　　**2-2** 보호자

042쪽~043쪽

누구나 100점 테스트

1 무   **2** ④   **3** ③   **4** 효재

5 고기   **6** (3) ○   **7** (1) ② (2) ①

8 (1) ○   **9** ④   **10** ①

044쪽~049쪽

1주 특강

1 ❶ 엄청나게 ❷ 사례 ❸ 소화

2 ❷ 1 ❸ 1 ❹ 2

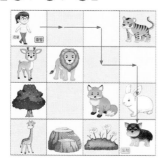

3 (2) ○   **4** (1) 급한 (2) 부르기 (3) 낮과 밤

5 (1) ① 실 수 ② 실 망

     (2) 小 貪 大 失

2주

052쪽~053쪽

2주에는 무엇을 공부할까? ❷

1-1 (2) ○   **1-2** 도구

2-1 무사할까요   **2-2** (1) ○

054쪽~059쪽

2주 **1**일

독해 미리 보기

1 부러워했지   **2** 졸졸

독해

1 (2) ○   **2** 술을 잘 마시는 수탉 등

3 (1) ○   **4** ❶ 힘자랑 ❷ 수탉

독해 어휘

1 (1) 수탉 (2) 암탉   **2** (1) ③ (2) ① (3) ②

독해 게임

(1) 크고 (2) 길고 (3) 따뜻하게

060쪽~065쪽

2주 **2**일

독해 미리 보기

❶ 옹기   ❷ 가마솥   ❸ 맷돌

독해

1 (2) ○   **2** (2) ○

3 시간과 힘 등   **4** ❶ 옹기 ❷ 가마솥 ❸ 맷돌

독해 어휘

1 (1) 되었어요 (2) 옛날 (3) 도구예요

2 (1) 마니 (2) 마가 (3) 사라

독해 게임

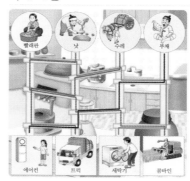

(1) 불편한 (2) 나은

066쪽~071쪽

2주 **3**일

독해 미리 보기

❶ 마른   ❷ 뚱뚱한   ❸ 엎드려

독해

1 ①   **2** ㉢, ㉡, ㉣, ㉠

3 모른 체하는 등   **4** ❶ 곰 ❷ 어려움

독해 어휘

1 (3) ×

2

> "친구, ∨어디 다친 데는 없나? ∨그런데 아까 곰
> 이 친구 귀에 대고 뭐라고 말하는 것 같던데, ∨
> 무슨 말을 하던가?" ∨
> "어려움에 처한 친구를 모른 체하는 사람과는 함
> 께 다니지 말라고 하더군." ∨
> 작고 뚱뚱한 친구는 이렇게 말하고는 혼자서 길
> 을 떠났단다.

독해 게임

(1) 10 (2) 2 (3) 20 (4) 스무

빠른 정답

072쪽~077쪽 2주 4일

독해 미리 보기

❶ 연구소 ❷ 반응 ❸ 실험

독해

1 (2) ○   2 (1) ○ (4) ○

3 곰을 따돌린 후 등   4 ❶ 실험 ❷ 반대

독해 어휘

1 (2) ○   2 (1) ② × (2) ③ ×

독해 게임

(1) 쫓아와서 (2) 도망쳐야

078쪽~083쪽 2주 5일

독해 미리 보기

❶ 사고 ❷ 주의 ❸ 통학

독해

1 (2) ○   2 ③

3 통학 버스 안에서 생기는 사고 등

4 ❶ 안전띠 ❷ 장난

독해 어휘

1 (1) 급회전 (2) 급정거 (3) 급출발

2 (1) ② (2) ①

독해 게임

기호	♠	♥	◆	★	◉	♣
나타내는 글자	통	도	전	스	안	학

→ 안 전

084쪽~085쪽 누구나 100점 테스트

1 성아   2 (1) 젊었을 (2) 힘이 세고

3 ⑤   4 옹기, 맷돌   5 ②

6 죽은   7 (3) ○   8 (3) ○

9 ④   10 통학 버스

086쪽~091쪽 2주 특강

1 ❶ 세월 ❷ 장독대 ❸ 영양소

2 믹서

3

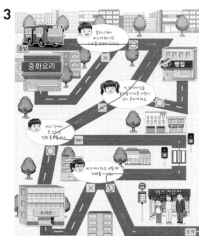

4 (1) 미리 막고 (2) 만들려고

5 (1) ① 반 성 ② 반 칙

　 (2) 賊 反 荷 杖

3주

094쪽~095쪽 3주에는 무엇을 공부할까? ❷

1-1 쪼개자   1-2 쪼개

2-1 (2) ○   2-2 보호자

096쪽~101쪽 · 3주 1일

독해 미리 보기

1 소식　　2 이듬해

독해

1 (4) ×　　2 ③, ⑤　　3 박씨를 물어다 주었다 등

4 ❶ 금은보화　❷ 도깨비

독해 어휘

1 (2) ○　　2 (1) 주렁주렁　(2) 우르르

3 (1) 메었다　(2) 매어

독해 게임

(1) ② (2) © (3) ⓒ (4) ⑤

102쪽~107쪽 · 3주 2일

독해 미리 보기

❶ 플라스틱　❷ 재활용　❸ 분리배출

독해

1 ②, ⑤　　2 쓰레기 양 등

3 ③, ④　　4 ❶ 쓰레기　❷ 분리배출

독해 어휘

1 (1) 플라스틱　(2) 찌꺼기　2 (1) ②　(2) ①

독해 게임

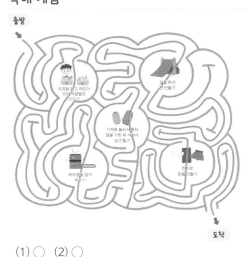

(1) ○　(2) ○

108쪽~113쪽 · 3주 3일

독해 미리 보기

1 징검다리　2 폴짝폴짝

독해

1 ①, ④　　2 민수

3 징검돌을 뛰어 건너다가 등

4 ❶ 징검다리　❷ 물

독해 어휘

1 (1) 풀쩍풀쩍　(2) 퐁당

2 (1) 뛰어다닙니다　(2) 빠집니다

독해 게임

❶ 개굴개굴　❷ 뒤뚱뒤뚱　❸ 멍멍　❹ 껑충껑충

114쪽~119쪽 · 3주 4일

독해 미리 보기

❶ 겁　　　❷ 공　　　❸ 장수

독해

1 (2) ○　　2 ③, ⑤

3 (1) 왕의 힘 등　(2) 바보와 울보의 결혼 등

4 ❶ 사위　❷ 바보

독해 어휘

1 거블　　2 예사말　　3 (1) 반　(2) 비

독해 게임

㉠ 15　㉡ 72

120쪽~125쪽 · 3주 5일

독해 미리 보기

❶ 시설　　❷ 선착순　　❸ 예약

독해

1 준호　　2 안전한 시설 이용 등

3 ❶ 예약권　❷ 보호자

독해 어휘

1 (1) 회　(2) 매

2

❶예	약	제	
약			
		❷성	
		❸인	원

빠른 정답

독해 게임

126쪽~127쪽

누구나 100점 테스트

1 ⑤ **2** (1) ○ (2) ○ **3** ㉡

4 ③ **5** ①, ⑤ **6** (3) ○ **7** ②

8 왕 **9** 온달 **10** ㉢

128쪽~133쪽

3주 특강

1 ❶ 선착순 ❷ 명성 ❸ 헛소문

2 (2) ○

3 (2) ×

4 (1) 가까이 (2) 들어가지 말라는

5 (1) ① 우 선 ② 선 두 (2) 先 見 之 明

4주

136쪽~137쪽

4주에는 무엇을 공부할까? ❷

1-1 갇힌 **1-2** (1) ○

2-1 잔치 **2-2** 잔치

138쪽~143쪽 **4주 1일**

독해 미리 보기

❶ 불길 ❷ 까투리

독해

1 빨리빨리 **2** 새끼들 / 꿩병아리들 등 **3** 수현

4 ❶ 엄마 까투리 ❷ 불길

독해 어휘

1 (1) 명 (2) 자루 (3) 마리 **2** 아래

독해 게임

144쪽~149쪽 **4주 2일**

독해 미리 보기

❶ 초콜릿 ❷ 액체 ❸ 가열

독해

1 그래서 **2** 멕시코인

3 부드러운 액체로 등 **4** ❶ 카카오 버터 ❷ 녹는다

독해 어휘

1 (1) 고체 (2) 액체 **2** 사르르

독해 게임

뜨거운 물 위에 올려 뜨겁게 하면

150쪽~155쪽 **4주 3일**

독해 미리 보기

1 은혜 **2** 판결

독해

1 사슴 **2** 다시 상자에 가두었다. 등 **3** (3) ○

4 ❶ 나무꾼 ❷ 토끼 ❸ 호랑이

독해 어휘

1 (1) ? (2) , 2 (1) 가 (2) 이

독해 게임

예

156쪽~161쪽 **4주 4일**

독해 미리 보기

❶ 잔치　❷ 백설기

독해

1 ①　2 쌀가루에 설탕을 섞어 찐 등　3 연아

4 ❶ 건강　❷ 수수경단

독해 어휘

1 (1) ②　(2) ①　　2 (3) ○

독해 게임

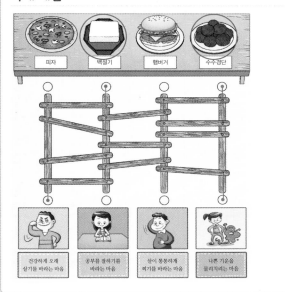

162쪽~167쪽 **4주 5일**

독해 미리 보기

❶ 곤충　❷ 환경　❸ 야행성

독해

1 성호　2 (1) ○

3 톱밥은 넉넉히 깔아 주어서 등

4 ❶ 상자　❷ 젤리

독해 어휘

1 (1) 몸집　(2) 톱밥

2 (1) 장수풍뎅이, 벌　(2) 포도, 복숭아

독해 게임

뽕잎

168쪽~169쪽 **누구나 100점 테스트**

1 ②　　2 (2) ○　　3 ④　　4 (2) ○

5 (1) 딱딱한　(2) 부드러운　6 ⑤　　7 돌

8 백설기　9 (2) ×　　10 (1) 낮　(2) 밤

170쪽~175쪽 **4주 특강**

1 ❶ 불길　❷ 곤충　❸ 은혜

2 3

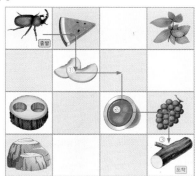

3

4 (1) 조심해야　(2) 쉬어　(3) 있어야

5 (1) ① 전 년 도　② 전 작

　(2) 前 代 未 聞

010쪽~**011**쪽 　　　　　**1주에는 무엇을 공부할까? ❷**

1-1 커다란	**1-2** (2) ○
2-1 밟고	**2-2** 밟지

1-1 '좁다란'은 '너비나 공간이 매우 좁은.'을 뜻합니다.

1-2 '커다랗다'는 [커다라타]로 소리 납니다. 받침을 'ㅆ'으로 쓰지 않도록 주의합니다.

2-1~2-2 두 개의 자음으로 이루어진 받침 'ㄼ'에 주의하여 '밟다'를 바르게 쓰도록 합니다.

013쪽 　　　　　하루 독해　미리 보기

1 쑥쑥	**2** 엄청나게

014쪽~**015**쪽 　　　　　하루 독해

1 무	**2** (1) 야옹이　(2) 야옹이　(3) 찍찍이
3 (2) ○	**4** ❶ 무씨　❷ 할아버지

1 할아버지가 무씨 한 알을 심어서 키웠더니 엄청나게 큰 무가 자랐습니다.

2 할아버지는 처음에는 할머니에게, 다음으로 멍멍이, 야옹이에게, 마지막으로 찍찍이한테 무를 뽑는 것을 도와 달라고 하였고, 모두 함께 잡아당겨서 무를 뽑을 수 있었습니다.

> **채점 기준**
> (1)과 (2)에 '야옹이'를, (3)에 '찍찍이'를 순서대로 썼으면 정답으로 합니다.

3 할아버지, 할머니, 멍멍이, 야옹이 그리고 찍찍이가 모두 함께 무를 잡아당겨서 커다란 무를 뽑을 수 있었던 것에서 힘든 일도 함께하면 쉽게 할 수 있다는 깨달음을 얻을 수 있습니다.

4 할아버지가 무씨 한 알을 심은 뒤 커다란 무가 자라났습니다. 할아버지가 커다란 무를 어떻게 뽑을 수 있었는지 살펴보고 차례대로 씁니다.

016쪽 　　　　　하루 독해　어휘

1 알	**2** (2) ×

1 작고 둥근 모양의 무씨는 '작고 둥근 열매나 곡식의 낱개를 세는 말.'인 '알'로 세는 것이 알맞습니다.

2 (2)의 "이제 무우를 뽑아야겠군."에서 '무우'는 '무'라고 써야 맞습니다.

017쪽 　　　　　하루 독해　게임

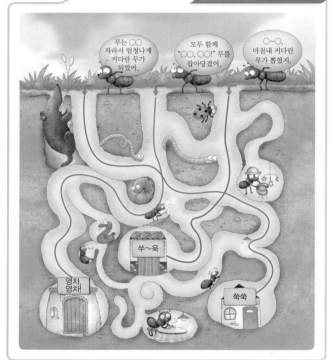

○ 「커다란 무」에 쓰인 소리나 모양을 흉내 내는 말을 떠올리며 개미들이 지고 있는 먹이에 있는 문장의 빈칸에 들어갈 알맞은 말을 각각 찾아 줄로 표시해 봅니다. 각 흉내 내는 말의 뜻과 쓰임도 익혀 둡니다.

> **【 더 알아보기 】**
> - **쑥쑥**: 갑자기 많이 커지거나 자라는 모양.
>   ㉠ 머리카락이 <u>쑥쑥</u> 자랐다.
> - **영차, 영차!**: 여러 사람이 힘을 합치면서 기운을 돋우려고 함께 내는 소리.
>   ㉠ 어부들은 "<u>영차, 영차!</u>" 그물을 잡아당겼다.
> - **쑤~욱**: '깊이 밀어 넣거나 길게 뽑아내는 모양.'을 나타내는 말인 '쑥'을 늘여 쓴 말. ㉠ 칼을 <u>쑤~욱</u> 뽑았다.

2일

019쪽

똑똑한 **하루 독해** 미리 보기

❶ 소화　　❷ 초식　　❸ 육식

020쪽~021쪽

똑똑한 **하루 독해**

1 작은　　　**2** ⑤　　　**3** 나오는 가스에서 냄새가 많
이 나서 등　　**4** ❶ 방귀　❷ 크기

1 '소리가 큰 대포 방귀'에서 '큰'과 뜻이 반대인 말은
'작은'입니다.

〔 더 알아보기 〕
　　뜻이 반대인 낱말은 한 쌍의 말 사이에 서로 공통되는
　점이 있으면서 동시에 서로 다른 점이 한 가지 있어야 합
　니다.
　⑩ • 남자 ↔ 여자　　• 총각 ↔ 처녀
　　　• 위 ↔ 아래　　　• 오다 ↔ 가다

2 방귀 냄새는 무엇을 먹었느냐에 따라 달라지는 것이
기 때문에 소리의 크기와 상관이 없다고 했습니다.

〔 왜 틀렸을까? 〕
　①: 방귀는 냄새가 나기도 합니다.
　②: 방귀를 뀔 때 소리가 나기도 합니다.
　③, ④: 방귀 소리의 크기와 방귀 냄새는 상관이 없습니다.

3 고기를 소화시킬 때 나오는 가스에서 냄새가 많이 나
서 방귀 냄새가 더 지독해지는 것이라고 하였습니다.

채점 기준
　가스에서 냄새가 많이 나기 때문이라는 내용이 들어가
게 썼으면 정답으로 합니다.

4 방귀 냄새는 무엇을 먹었느냐에 따라 달라지기 때문
에 방귀 냄새는 소리의 크기와 상관이 없다는 것을
설명하는 글입니다.

〔 더 알아보기 〕
　　방귀 냄새는 무엇을 먹었느냐에 따라 달라지기 때문에
　소리의 크기가 아니라 고기를 먹느냐 풀을 먹느냐에 따라
　방귀 냄새가 지독해지는 정도가 달라지는 것입니다.

022쪽

똑똑한 **하루 독해** 어휘

1 (1) 초식　(2) 육식

2 (1) ○ → | 방 | 귀 | 를 | ∨ | 뀌 | 다 | . |

1 (1) '주로 풀이나 채소, 나물만 먹고 삶.'이라는 뜻의
'초식'을 넣어 써야 합니다.
　(2) '동물이 다른 동물의 고기를 먹이로 하는 일.'이
라는 뜻의 '육식'을 넣어 써야 합니다.

2 '방귀'와 '뀌다'에 주의하며 맞춤법에 맞게 낱말을 바
르게 써 봅니다.

〔 왜 틀렸을까? 〕
　• **방구**: '몸속에서 항문을 통해 몸 밖으로 나오는 고약한
　냄새가 나는 기체.'라는 뜻의 낱말은 '방귀'가 바른 표현
　입니다.
　• **꾸다**: '방귀 따위를 몸 밖으로 내어보내다.'라는 뜻의 낱
　말은 '뀌다'가 바른 표현입니다.

023쪽

똑똑한 **하루 독해** 게임

　이 그림에서 고양이가 병아리를 물고 달아나고 있어요.
병아리를 잡아먹으려는 것을 보니, 이 고양이는 (1) (⦿육식),
초식) 동물인가 봐요. 그러면 이 고양이도 방귀를 뀌면 냄새
가 (2) (⦿지독하겠네요, 나지 않겠네요).

⦿ 병아리를 잡아먹으려는 것으로 보아, 고양이가 육식
동물인 것을 알 수 있고, 육식 동물인 고양이의 방귀
냄새도 지독할 것을 짐작할 수 있습니다.

〔 더 알아보기 〕

그림에 대해 더 알아보기

　　조선 시대의 김득신이라는
화가가 그린 「야묘도추」라는
그림입니다. 들고양이가 병
아리를 채어 달아나자 놀란
어미 닭이 새끼를 되찾으려
고 뒤를 쫓고, 마루와 방에 있던 주인 부부는 하던 일을 팽
개치고 급하게 나오며 병아리를 구하려고 하는 장면을 실
감 나게 표현하였습니다.

정답
및
해설

3일

025쪽 ── 똑똑한 하루 독해 · 미리 보기

❶ 웅덩이 ❷ 마당

026쪽~**027**쪽 ── 똑똑한 하루 독해

1 ②, ③　　2 하늘, 구름, 별
3 (1) ○　　4 ❶ 웅덩이 ❷ 마당

1 시의 1연의 첫 행인 '웅덩이가 작아도'와 3연의 첫 행인 '마당이 좁아도'를 통해 이 시에서 말하는 '작은 것'이 '웅덩이'와 '마당'인 것을 알 수 있습니다.

〔 왜 틀렸을까? 〕

①, ④: '해'와 '달'은 이 시에 나오지 않은 것입니다.
⑤: '바람'은 좁은 마당에 나무를 키워 놓으면 온다고 한 것이지 작은 것이 아닙니다.

2 시의 1연과 2연에서 웅덩이가 작아도 흙을 가라앉히면 '하늘, 구름, 별'이 산다고 하였습니다. 3연과 4연에서 마당이 좁아도 나무를 키워 놓으면 '새, 매미, 바람'이 온다는 내용과 짝을 이루는 내용입니다.

채점 기준
'하늘, 구름, 별' 세 가지를 모두 썼으면 정답으로 합니다. 세 가지의 순서는 바꾸어 써도 됩니다.

3 시의 내용과 관련된 경험으로는 작은 마당에서 놀았던 경험을 떠올리는 것이 알맞습니다.

4 작은 웅덩이와 좁은 마당처럼 하찮아 보이는 것에도 온갖 아름다운 것들을 담을 수 있다는 뜻을 전하는 시입니다.

〔 더 알아보기 〕

시에 숨은 뜻을 찾는 방법
• 시를 읽고 어떤 내용인지 파악합니다.
• 시의 내용과 관련된 경험을 떠올려 봅니다.
• 시의 표현이 무엇을 뜻하는지 생각해 봅니다.

028쪽 ── 똑똑한 하루 독해 · 어휘

1 (1) ② (2) ①　　2 (1) 닥 (2) 익 (3) 막

1 '작다'와 뜻이 반대인 말은 '크다'이고, '좁다'와 뜻이 반대인 말은 '넓다'입니다.

〔 더 알아보기 〕

서로 뜻이 반대인 낱말의 뜻

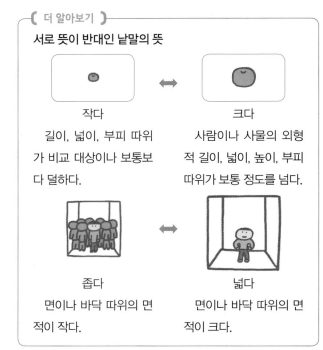

작다 ⟷ 크다
길이, 넓이, 부피 따위가 비교 대상이나 보통보다 덜하다.　사람이나 사물의 외형적 길이, 넓이, 높이, 부피 따위가 보통 정도를 넘다.

좁다 ⟷ 넓다
면이나 바닥 따위의 면적이 작다.　면이나 바닥 따위의 면적이 크다.

2 받침 'ㄺ'이 [ㄱ]으로 소리 나는 경우이므로 '닭'은 [닥], '읽다'는 [익따], '맑지'는 [막찌]로 발음해야 합니다.

〔 더 알아보기 〕
받침 'ㄺ'이 [ㄹ]로 소리 나는 경우도 있다는 것도 알아 둡니다. 예 맑고[말꼬]

029쪽 ── 똑똑한 하루 독해 · 게임

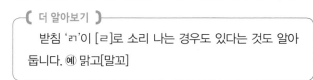

(2)
가만히 놓아두어 흙을 가라앉힙니다.
(○)

◉ 「작은 것」이라는 시의 내용을 통해 물을 맑아지게 하려면 가만히 가라앉혀야 한다는 것을 알 수 있었습니다. 그러므로 비커 안의 흙탕물을 맑게 하려면 (1)처럼 유리 막대로 물을 젓지 말고 (2)처럼 가만히 놓아두어 흙을 가라앉혀야 합니다.

4일

031쪽 ｜ 똑똑한 하루 독해 **미리 보기**

❶ 괴　　❷ 개

032쪽~**033**쪽 ｜ 똑똑한 하루 독해

1 되는대로 아무렇게나 써 놓은 등
2 ❷ ○　　**3** (1) ○
4 ❶ 고양이　❷ 괴발개발

1 '괴발개발'의 뜻은 '글씨를 되는대로 아무렇게나 써 놓은 모양을 이르는 말.'입니다.

> **채점 기준**
> 글에 나타난 '괴발개발'의 뜻을 잘 찾아 답을 썼으면 정답으로 합니다. '글씨가 사람이 쓴 것처럼 보이지 않고 고양이나 개가 마구 밟고 지나다닌 것처럼 아무렇게나 쓰인 것.'을 찾아 썼어도 정답으로 합니다. '고양이와 개의 발'이라고만 썼으면 더 정확한 뜻을 찾아 쓸 수 있도록 합니다.

2 '괴발'에서 '괴'는 '고양이의 옛말.'로 '괴발'이라고 하면 '고양이의 발.'을 뜻한다고 하였습니다. 그러므로 고양이의 발을 가리키는 ❷가 낱말의 뜻을 나타내는 부분입니다.

> **왜 틀렸을까?**
> ❶: 고양이의 귀 부분입니다.
> ❸: 고양이의 꼬리 부분입니다.

3 '글씨를 되는대로 아무렇게나 써 놓은 모양을 이르는 말.'이라는 뜻의 '괴발개발'과 뜻이 비슷한 말은 '개발새발'이 있습니다.

> **더 알아보기**
> **'발'이 들어가는 낱말 더 알아보기**
> • **쇠발개발**: 소의 발과 개의 발이라는 뜻으로, 아주 더러운 발을 빗대어 이르는 말.

4 '괴발개발'의 뜻이 무엇인지를 중심으로 중요한 내용을 정리하여 씁니다. 정리한 내용이 '고양이와 개의 발'과 관련된 내용이므로 비슷한 뜻의 낱말이라도 '개발새발'로 답하지 않도록 주의합니다.

034쪽 ｜ 똑똑한 하루 독해 **어휘**

1 예서
2

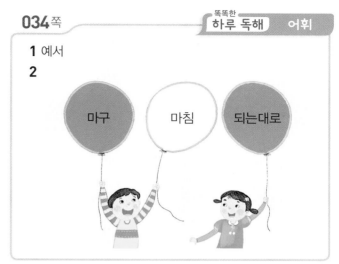

마구　　마침　　되는대로

1 글씨를 되는대로 아무렇게나 썼다는 말은 잘 쓴 글씨를 뜻하는 것이 아니라 못 쓴 글씨를 말하는 것입니다.

2 '마구'와 '되는대로'는 모두 '아무렇게나 함부로.'를 뜻하는 말입니다.

> **왜 틀렸을까?**
> • **마침**: 어떤 경우나 기회에 알맞게.
> **예** 친구를 만나고 싶었는데 마침 친구가 저쪽에서 걸어왔다.

035쪽 ｜ 똑똑한 하루 독해 **게임**

짝과 키를 재던 우빈이는 자기가 더 커 보이려고 (1) (**까치발**, 오리발)을 들었어요. 그러고는 따지는 친구에게 아니라고 (2) (까치발 ,**오리발**)을 내밀었지요.

(1)

➡ 까치발: 발뒤꿈치를 든 발.

(2)

아닌데?
안 들었는데?
➡ 오리발: 잘못을 해 놓고 그 일과 관계 없는 것처럼 꾸미는 태도.

5일

037쪽 · 똑똑한 하루 독해 **미리 보기**

❶ 쫑긋하다   ❷ 따르다   ❸ 실종

038쪽~039쪽 · 똑똑한 하루 독해

1 (3) ×   2 (1) 24일 (일요일) (2) 금빛 공원
3 (4) ○   4 ❶ 탄이 ❷ 연락

1 잃어버린 강아지 탄이는 사람을 잘 따른다고 하였습니다.

2 강아지는 3월 24일 일요일에 금빛 공원 근처에서 잃어버렸다고 하였습니다.

> **채점 기준**
> 잃어버린 때와 장소를 모두 잘 찾아 썼으면 정답으로 합니다.

3 글에 나타난 강아지의 특징에 대한 설명으로 보아, 잃어버린 강아지는 (4)의 강아지일 것입니다.

> **(왜 틀렸을까?)**
> (1)   (2)   (3)
>
> 잃어버린 강아지의 털은 전체적으로 검은색이고, 얼굴, 귀, 앞발, 뒷발 쪽만 갈색 털이라고 하였으므로 (1)~(3)의 강아지들의 모습은 알맞지 않습니다.

4 이 글은 잃어버린 강아지를 찾기 위해서 쓴 전단입니다. 글을 쓴 까닭을 생각하며 이 글에 나타난 내용을 간단히 정리하여 봅니다.

040쪽 · 똑똑한 하루 독해 **어휘**

1 (1) 쫑긋하다 (2) 짧다   2 (1) 따른다 (2) 따른다

1 (1) 토끼의 귀가 빳빳하고 뾰족이 내밀려 있으므로 '쫑긋하다'가 들어가는 것이 알맞습니다.

(2) 토끼 꼬리의 두 끝 사이가 가까우므로 '짧다'가 알맞습니다.

2 (1)에서는 '좋아하거나 존경하여 가까이 좇는다.'라는 뜻의 '따른다'가 들어가야 하고, (2)에서는 '그릇을 기울여 안에 들어 있는 액체를 밖으로 조금씩 흐르게 한다.'라는 뜻의 '따른다'가 들어가야 합니다. 이처럼 모양이 같은 낱말이라도 다른 뜻으로 쓰이는 경우가 있다는 것을 알아 둡니다.

041쪽 · 똑똑한 하루 독해 **게임**

○ 동생을 설명하는 말을 잘 읽고, 동생의 옷차림과 모습에 주의하며 동생을 찾아 봅니다.

042쪽~043쪽 · 평가 **누구나 100점 테스트**

1 무   2 ④   3 ③   4 효재
5 고기   6 (3) ○   7 (1) ② (2) ①   8 (1) ○
9 ④   10 ①

1 할아버지는 무를 잡아당겼지만 커다란 무가 조금도 뽑히지 않아서 할머니를 불러 도와 달라고 했습니다.

2 커다란 무가 뽑히지 않자 할아버지, 할머니, 멍멍이, 야옹이는 다 함께 무를 잡아당겼습니다.

3 무가 자라 엄청나게 커다란 무가 되었다고 했으므로 ㉠ 안에는 '갑자기 많이 커지거나 자라는 모양.'을 나타내는 말인 '쑥쑥'이 들어가는 것이 어울립니다.

(더 알아보기)
- **훨훨**: 날짐승 따위가 높이 떠서 느릿느릿 날개를 치며 매우 시원스럽게 나는 모양.
  - 예 새가 훨훨 날갯짓을 하며 날아간다.
- **쨍쨍**: 햇볕 따위가 몹시 내리쬐는 모양.
  - 예 바닷가 모래밭에 햇볕이 쨍쨍 내리쬔다.
- **꿀꺽**: 액체나 음식물 따위가 목구멍이나 좁은 구멍으로 한꺼번에 많이 넘어가는 소리. 또는 그 모양.
  - 예 긴장이 되어 나도 모르게 침을 꿀꺽 삼켰다.
- **방긋**: 입을 예쁘게 약간 벌리며 소리 없이 가볍게 한 번 웃는 모양. 예 아기가 방긋 미소를 지었다.

4 방귀 냄새는 소리의 크기와 상관이 없고 무엇을 먹었느냐에 따라 달라진다고 하였습니다.

5 고기를 소화시킬 때 나오는 가스에서 냄새가 많이 나기 때문에 다른 동물의 고기를 먹이로 하는 육식 동물의 방귀 냄새가 더 지독합니다.

6 이 시는 작은 웅덩이가 하찮아 보여도 흙을 가라앉히면 그 안에 하늘, 구름, 별 등 아름다운 것들을 담을 수 있다는 내용입니다.

7 '괴'는 고양이의 옛말로 '괴발'은 고양이의 발이고, '개발'은 개의 발이라고 하였습니다.

8 '괴발개발'은 '글씨를 되는대로 아무렇게나 써 놓은 모양을 이르는 말.'이므로 못 쓴 글씨를 보고 하는 말입니다.

9 잃어버린 강아지는 털이 전체적으로 검은색이라고 하였습니다.

10 '짧습니다'는 물체의 한쪽 끝에서 다른 쪽 끝까지의 사이가 가깝다는 뜻이므로 뜻이 반대인 낱말은 '깁니다'입니다.

(왜 틀렸을까?)
뜻이 반대인 낱말
② 작습니다 ↔ 큽니다   ③ 좁습니다 ↔ 넓습니다
④ 많습니다 ↔ 적습니다   ⑤ 두껍습니다 ↔ 얇습니다

044쪽~049쪽  특강 창의·융합·코딩

1 ❶ 엄청나게 ❷ 사례 ❸ 소화
2 ❷1 ❸1 ❹2
3 (2) ○
4 (1) 급한 (2) 부르기 (3) 낮과 밤
5 (1) ① 실 수   ② 실 망 (2) 小 貪 大 失

1 1주에서 배운 낱말을 떠올리며 알맞은 답을 씁니다.

2 호랑이, 사자, 여우는 육식 동물이고, 사슴, 토끼, 기린은 초식 동물입니다. 육식 동물인 호랑이, 사자, 여우를 피해 강아지에게 가려면 다음과 같이 이동해야 합니다.

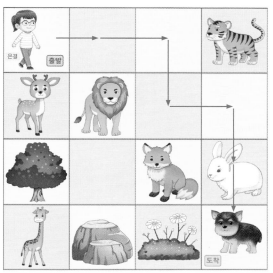

3 동물들은 '강아지-고양이-생쥐'의 규칙으로 늘어서 있으므로 ▇▇▇에는 고양이가 와야 합니다.

4 '비상시'는 뜻밖의 중요하고 급한 일이 일어난 때이고, '호출'은 상대편을 부르는 일을 뜻하므로 엘리베이터 안에 있는 호출 버튼은 급한 일이 일어났을 때 누구를 부르기 위해 누릅니다. 안내문에 주간과 야간에 연락할 전화번호가 각각 나와 있으므로 낮과 밤에 전화를 받는 곳이 다릅니다.

5 (1) ① 失手(실수): 조심하지 아니하여 잘못함. 또는 그런 행위.
    ② 失望(실망): 희망이나 명망을 잃음. 또는 바라던 일이 뜻대로 되지 않아 마음이 몹시 상함.
  (2) 빈칸에 들어갈 한자는 失(잃을 실) 자입니다.

052쪽~053쪽 | 2주에는 무엇을 공부할까? ②

1-1 (2) ○ 1-2 도구
2-1 무사할까요 2-2 (1) ○

1-1 전기밥솥은 밥을 할 때 쓰는 물건이므로 '도구'입니다. '재료'는 물건을 만들 때 바탕으로 사용하는 것을 말합니다.

1-2 종이, 연필, 볼펜 등은 글씨를 쓸 때 필요한 도구입니다. '필기도구'라고도 합니다.

2-1 그림에서 연구원들은 죽은 척하면 곰이 그냥 지나가서 무사할지를 알아보고 있습니다.

2-2 교통사고가 났지만 사람들이 아무 탈이 없어서 '다행히'라는 말을 썼을 것입니다. 그러므로 '위험했다'를 '무사했다'로 고쳐야 합니다.

1일

055쪽 똑똑한 하루 독해 미리 보기

1 부러워했지 2 졸졸

056쪽~057쪽 똑똑한 하루 독해

1 (2) ○ 2 술을 잘 마시는 수탉 등
3 (1) ○ 4 ❶ 힘자랑 ❷ 수탉

1 수탉은 세상에서 제일 힘센 닭이 되어서 다른 수탉들이 자신을 부러워하였습니다. 그리고 젊은 암탉들도 자신을 졸졸 따라다녀서 수탉은 기뻤을 것입니다.

2 수탉은 자신보다 더 힘이 센 수탉이 동네에 나타난 뒤 동네에서 제일 술을 잘 마시는 수탉이 되었다고 하였습니다.

> **채점 기준**
> 술을 잘 마시는 수탉이라는 내용이 들어가게 답을 썼으면 정답으로 합니다.

3 수탉은 늙어 가면서 점점 울음소리도 우렁차게 낼 수 없었고, 고기를 잘 씹지도 못했습니다.

4 수탉은 힘자랑 대회에서 다른 닭들을 모두 이겼을 때에는 기뻤을 것이고, 자기보다 더 힘센 수탉이 동네에 나타나고 자신이 점점 늙어 가고 있는 것을 느꼈을 때에는 슬펐을 것입니다.

058쪽 똑똑한 하루 독해 어휘

1 (1) 수탉 (2) 암탉
2 (1) ③ (2) ① (3) ②

1 닭의 수컷은 '수탉'이라고 쓰고, 닭의 암컷은 '암탉'이라고 써야 합니다.

2 (1) 동네에서 제일 힘센 수탉이 되었을 때에는 기뻤을 것입니다.

(2) 수탉은 점점 늙어 가는 것을 느꼈을 때에는 슬펐을 것입니다.

(3) 수탉의 먹이를 다른 수탉이 뺏어 갔을 때에는 화가 났을 것입니다.

> **더 알아보기**
> **기분에 알맞은 표정이나 목소리 알아보기** 예
>
> **기쁠 때:** 크게 웃으며 밝은 표정을 짓고, 신나는 목소리로 말합니다.
>
> **화가 날 때:** 얼굴을 찡그리며 불만스러운 목소리로 말합니다.
>
> **슬플 때:** 눈물을 흘리며 슬픈 표정으로 말합니다.

059쪽 똑똑한 하루 독해 게임

• 수탉은 암탉보다 몸집도 (1) (⃝크고 , 작고) 깃털 색도 훨씬 더 화려해요. 또 닭의 이마에 붙어 있는 톱니 모양의 붉은 살 조각인 볏도 크며, 꼬리 깃털도 더 (2) (짧고 , ⃝길고) 윤기가 나지요.

• 알을 낳는 것은 수탉이 아니라 암탉이에요. 암탉은 알을 낳은 후 새끼가 다 자라서 알을 깨고 나올 때까지 가슴과 배로 (3) (차갑게 , ⃝따뜻하게) 품는답니다.

◉ 그림을 보고 수탉과 암탉의 모습을 비교해 보고, 특징을 알아봅니다.

2일

061쪽 　똑똑한 하루 독해 미리 보기

❶ 옹기　❷ 가마솥　❸ 맷돌

062쪽~063쪽 　똑똑한 하루 독해

1 (2) ○　　2 (2) ○
3 시간과 힘 등
4 ❶ 옹기　❷ 가마솥　❸ 맷돌

1 김치냉장고는 작은 구멍으로 공기가 통하는 옹기의 장점을 살려 만들어서 김치를 싱싱하게 보관할 수 있게 해 줍니다.

〔 왜 틀렸을까? 〕

(1) 믹서는 과일, 야채 등을 갈아서 가루나 즙으로 만드는 기계로, 곡식을 갈아 주는 맷돌의 장점을 살려 만든 것입니다.
(3) 전기밥솥은 전기를 이용하여 밥을 짓도록 만든 기구로, 아주 크고 우묵한 솥인 가마솥의 장점을 살려 만든 것입니다.

2 '맷돌을 쓸 때보다'라고 띄어 써야 합니다.

3 믹서는 곡식을 갈아서 먹게 해 주는 맷돌의 장점을 살려 만든 것으로, 맷돌을 쓸 때보다 시간과 힘이 적게 든다고 했습니다.

　채점 기준
　시간과 힘이라는 내용이 들어가게 답을 썼으면 정답으로 합니다.

4 글에서 김치냉장고, 전기밥솥, 믹서는 각각 옛날의 어떤 도구의 장점을 살려 만든 것인지 살펴보며 글의 내용을 정리해 봅니다.

〔 더 알아보기 〕

설명하는 글을 읽는 방법
• 무엇에 대하여 설명하는지 생각하며 읽습니다.
• 중요한 내용이나 문장을 찾아 밑줄을 그으며 읽습니다.

064쪽 　똑똑한 하루 독해 어휘

1 (1) 되었어요　(2) 옛날　(3) 도구예요
2 (1) 마니　(2) 마가　(3) 사라

1 (1) '되엇어요'가 아니라 받침 'ㅆ'을 넣어서 '되었어요'라고 써야 합니다.
(2) '옛날'이라고 쓰고 [옌날]이라고 읽습니다.
(3) '예요'는 '이에요'의 줄임말로, '에요'라고 쓰지 않도록 주의합니다.

2 받침 'ㄶ', 'ㄱ', 'ㄹ' 다음에 'ㅇ'이 오면 어떻게 소리 나는지 생각해 봅니다.

〔 더 알아보기 〕

글자를 이어서 읽을 때 소리가 글자와 다르게 나는 까닭
• 발음을 할 때 힘이 적게 들기 때문입니다.
• 편하게 발음할 수 있기 때문입니다.
• 더 자연스럽게 들리기 때문입니다.

065쪽 　똑똑한 하루 독해 게임

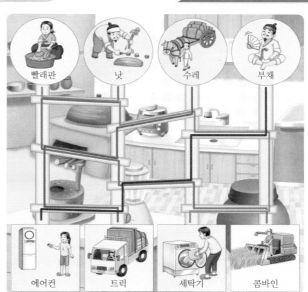

옛날에 사용했던 생활 도구의 (1) (ⓔ불편한, 편리한) 점을 고쳐서 더 (2) (나은, 나쁜) 도구를 만들다 보니 사라져 버린 도구도 있고 아직도 예전 모습 그대로 쓰이고 있는 도구도 있답니다.

◎ '빨래판 → 세탁기', '낫 → 콤바인', '수레 → 트럭', '부채 → 에어컨'으로 변했습니다.

3일

❶ 마른   ❷ 뚱뚱한   ❸ 엎드려

1 ①   **2** ㉢, ㉠, ㉣, ㉠
3 모른 체하는 등
4 ❶ 곰   ❷ 어려움

1 곰이 나타나자 키가 크고 마른 친구는 키가 작고 뚱뚱한 친구의 도와 달라는 말을 모른 체하며 나무 위로 올라갔습니다.

2 가장 먼저 일어난 일은 두 친구가 곰을 보고 도망가는 것이고 가장 나중에 일어난 일은 키가 작고 뚱뚱한 친구가 키가 크고 마른 친구를 두고 혼자서 길을 떠나는 것입니다.

{ 왜 틀렸을까? }
• **그림 ㉠**: 키가 작고 뚱뚱한 친구는 자신을 모른 체하고 혼자 도망간 키가 크고 마른 친구를 두고 혼자 길을 떠나는 상황입니다.
• **그림 ㉡**: 키가 크고 마른 친구 혼자서 나무 위로 올라간 상황입니다.
• **그림 ㉢**: 곰이 나타나자 두 친구가 도망가고 있는 상황입니다.
• **그림 ㉣**: 곰이 나무 가까이 왔을 때 나무 위로 올라가지 못한 키가 작고 뚱뚱한 친구가 엎드려 죽은 척하는 상황입니다.

3 곰이 그냥 돌아가고 난 후 키가 작고 뚱뚱한 친구가 한 말을 통해 글쓴이가 말하고자 하는 것을 알 수 있습니다.

채점 기준
어려움에 처한 친구를 모른 체하는 사람이 아니라는 내용이 들어가게 답을 썼으면 정답으로 합니다.

4 이야기에서 일이 일어난 차례에 맞게 내용을 정리하고 글쓴이가 말하고자 하는 진정한 친구의 의미에 대해 생각해 봅니다.

1 (3) ×   **2** 해설 참조

1 '위'와 '아래'는 서로 반대의 뜻을 가진 낱말입니다. (1)'올라가다'와 뜻이 반대인 낱말은 '내려가다'가 맞고, (2)'뚱뚱하다'와 뜻이 반대인 낱말은 '마르다'가 맞습니다.

{ 왜 틀렸을까? }
(3) '빠르다'의 반대말은 '느리다'이고, '서다'의 반대말은 '앉다'입니다.

2

"친구,∨어디 다친 데는 없나?∨그런데 아까 곰이 친구 귀에 대고 뭐라고 말하는 것 같던데,∨무슨 말을 하던가?"∨

"어려움에 처한 친구를 모른 체하는 사람과는 함께 다니지 말라고 하더군."∨

작고 뚱뚱한 친구는 이렇게 말하고는 혼자서 길을 떠났단다.

'친구,'와 '~같던데,' 뒤에는 ∨를 하고, '~없나?', '~하던가?', '~하더군.' 뒤에는 ∨를 합니다. 글이 끝나는 곳인 '떠났단다.' 뒤에는 ∨를 하지 않도록 주의합니다.

전체 곰 인형의 수는 몇 개일까요?
→ (1) 10 개씩 들어 있는 곰 인형이 (2) 2 상자이므로, 곰 인형은 모두 (3) 20 개입니다.
읽을 때에는 이십 개 또는 (4) 스 무 개라고 읽습니다.

◉ 그림을 보면 상자가 2개 있는데 각각의 상자에는 곰 인형이 10개씩 들어 있습니다. 따라서 곰 인형의 개수는 10×2=20임을 알 수 있습니다. 20개를 읽을 때, '스물 개'라고 읽지 않도록 주의합니다.

4일

073쪽 　　　　　똑똑한 **하루 독해** 미리 보기

❶ 연구소　　❷ 반응　　❸ 실험

074쪽~**075**쪽　　　똑똑한 **하루 독해**

1 (2) ○　　**2** (1) ○　(4) ○
3 곰을 따돌린 후 등
4 ❶ 실험　❷ 반대

1 한 연구소에서 사람 크기의 인형에 옷을 입혀 곰이 다니는 길에 놓아두고 곰이 어떤 반응을 보이는지 실험을 해 보았는데, 곰은 곧바로 앞발을 번쩍 들어 인형의 배 위에 올려놓더니 마구 세게 눌렀다고 했습니다.

2 '어슬렁어슬렁'은 '몸집이 큰 사람이나 짐승이 몸을 조금 흔들며 계속 천천히 걸어 다니는 모양.'을 흉내 내는 말입니다.

┌─ 【 더 알아보기 】 ─┐

살랑살랑
(1) : 팔이나 꼬리 따위를 가볍게 자꾸 흔드는 모양.

짹짹짹짹
(2) : 자꾸 참새 따위가 우는 소리.

드르렁드르렁
(3) : 매우 요란하게 코를 자꾸 고는 소리.

빙그레
(4) : 입을 약간 벌리고 소리 없이 부드럽게 웃는 모양.

3 곰을 만났을 때에는 죽은 척하면 안 되고 사과, 바나나처럼 달콤한 과일을 멀리 던져서 곰을 따돌린 후, 반대 방향으로 도망가야 합니다.

　　채점 기준
　　곰을 따돌린 후 반대 방향으로 도망간다는 내용이 되도록 답을 썼으면 정답으로 합니다.

4 죽은 척하면 곰이 그냥 지나가는지 알아보는 실험 내용과 실제로 곰을 만났을 때 해야 하는 행동을 정리해 봅니다.

076쪽 　　　　　똑똑한 **하루 독해** 어휘

1 (2) ○　　　**2** (1) ② ×　(2) ③ ×

1 '킁킁'이 '콧구멍으로 숨을 세차게 띄엄띄엄 내쉬는 소리.'의 뜻으로 쓰인 것은 (2)입니다.

┌─ 【 왜 틀렸을까? 】 ─
　(1)에서는 '킁킁'이 아니라 '팔이나 꼬리 따위를 가볍게 자꾸 흔드는 모양.'이라는 뜻을 가진 '살랑살랑'이 들어가야 알맞습니다.
└────────────

2 '사과, 바나나, 귤'은 '과일'에 속하므로, '과일'은 포함하는 말이 되고 '사과, 바나나, 귤'은 포함되는 말이 됩니다. 이처럼 다른 낱말의 뜻을 포함하느냐 포함되느냐에 따라 낱말의 관계를 정리합니다.

┌─ 【 왜 틀렸을까? 】 ─
　(1) '채소'에 포함되는 말에는 '당근, 감자' 등이 있습니다. '공책'은 채소가 아니라 '학용품'에 포함되는 낱말입니다.
　(2) '꽃'에 포함되는 말에는 '백합, 장미' 등이 있습니다. '강아지'는 꽃이 아니라 '동물'에 포함되는 낱말입니다.
└────────────

077쪽 　　　　　똑똑한 **하루 독해** 게임

곰을 보고 죽은 척했는데도 곰이 (1) (쫓아와서, 도망가서) 아빠와 아들이 달아나고 있네요. 이처럼 곰을 만났을 때에는 무조건 (2) (싸워야, 도망쳐야) 한답니다.

◉ 곰을 보고 죽은 척했는데도 곰이 쫓아와서 달아나고 있는 만화입니다.

5일

079쪽
똑똑한 하루 독해 **미리 보기**

❶ 사고   ❷ 주의   ❸ 통학

080쪽~**081**쪽
똑똑한 하루 독해

1 (2) ○   **2** ③
3 통학 버스 안에서 생기는 사고 등
4 ❶ 안전띠   ❷ 장난

1 차 안에 혼자 오랫동안 남아 있지 않으면 차 안의 산소가 부족하여 숨을 쉴 수 없게 되는 사고를 막을 수 있습니다.

2 그림 ③처럼 차 안에서는 반드시 안전띠를 매어야 합니다.

> **왜 틀렸을까?**
> ① 차 안에서 안전띠를 매지 않고 옆자리에 앉은 친구와 장난을 치는 모습입니다.
> ② 차창 밖으로 얼굴과 손을 내밀고 있는 모습입니다.

3 이 글은 통학 버스를 탈 때 주의할 점에 대해 알려 주어 어린이 통학 버스 안에서 생기는 사고를 막기 위해 쓴 글입니다.

> **채점 기준**
> '통학 버스 안에서 생기는 사고'나 '어린이 안전사고' 등의 내용을 답으로 썼으면 정답으로 합니다.

4 어린이 통학 버스 안에서 생기는 사고는 무엇인지 생각하며 통학 버스를 탈 때 주의할 점을 정리해 봅니다.

082쪽
똑똑한 하루 독해 **어휘**

1 (1) 급회전   (2) 급정거   (3) 급출발
2 (1) ②   (2) ①

1 '회전, 정거, 출발'에 '급-'이 들어가면 '갑작스러운' 이라는 뜻이 더해집니다.

2 낱말 뜻을 읽고 문장의 빈칸에 들어갈 낱말을 생각해 봅니다.

083쪽
똑똑한 하루 독해 **게임**

기호	♠	♥	♦	★	◉	♣
나타내는 글자	통	도	전	스	안	학

통학 버스를 탈 때에는 ◉ ♦ 이 최고입니다!

→ 안 전

○ 바른 자세로 안전띠를 매고 있는 친구를 찾아보고, 그 친구가 떠올린 기호를 보고 암호를 풀면 '안전'이 라는 말이 된다는 것을 알 수 있습니다.

084쪽~**085**쪽
평가 누구나 100점 테스트

1 성아   **2** (1) 젊었을   (2) 힘이 세고
3 ⑤   **4** 옹기, 맷돌   **5** ②
6 죽은   **7** (3) ○   **8** (3) ○
9 ④   **10** 통학 버스

1 세상에서 제일 힘센 닭이 된 수탉은 젊은 암탉들이 졸졸 따라다녔을 때 기분이 좋았을 것입니다.

> **더 알아보기**
> **이야기에 나타난 인물의 기분을 짐작하는 방법**
> • 인물이 어떤 상황에 처해 있는지 살펴봅니다.
> • 인물의 말이나 행동을 살펴봅니다.
> • 인물과 비슷한 경험을 떠올려 그때 어떤 기분이었는지 생각해 봅니다.

2 자신보다 더 힘이 센 수탉이 동네에 나타난 뒤, 세상에서 제일 힘센 수탉은 술을 잘 마시는 수탉이 되었습니다. 그리고 술에 취하면 자신이 젊었을 때 얼마나 힘이 세고 멋있었는지 떠들어 대곤 했습니다.

3 작은 구멍으로 공기가 통하는 옹기의 장점을 살려 김치냉장고를 만들었다고 했습니다.

4 옹기, 맷돌은 조상들이 사용한 옛날 도구이고, 김치냉장고와 믹서는 옛날 도구의 장점을 살려 오늘날에 만들어진 도구입니다.

5 장점은 '좋거나 잘하거나 긍정적인 점.'을 뜻합니다. 작은 구멍으로 공기가 통하는 것은 옹기가 가진 좋은 점이므로 '장점'은 '좋은 점'과 바꾸어 쓸 수 있습니다.

─〔 더 알아보기 〕─

낱말의 뜻을 짐작하는 방법
- 낱말의 앞뒤 내용에서 낱말의 뜻을 짐작할 수 있는 부분을 찾습니다.
- 낱말의 뜻을 짐작하여 바꾸어 쓸 수 있는 낱말을 떠올립니다.
- 낱말을 떠올린 낱말로 바꾸어 봅니다. 문장이 어색하지 않고 자연스럽게 읽히면 낱말의 뜻을 알맞게 짐작한 것입니다.

6 곰이 다가왔을 때 키가 작고 뚱뚱한 친구는 나무 위로 올라가지 못했습니다. 곰을 피하지 못한 친구는 죽은 척 엎드려 있었습니다.

7 위급한 순간에 키가 크고 마른 친구는 키가 작고 뚱뚱한 친구를 모른 체하고 혼자 나무 위로 올라갔습니다. 키가 작고 뚱뚱한 친구가 키가 크고 마른 친구에게 한 말에서 글쓴이는 어려울 때 도와주는 사람이 진정한 친구라는 말을 전하고 있습니다.

8 곰은 인형 곁으로 다가와서 냄새를 맡더니 앞발을 번쩍 들어 인형의 배를 마구 세게 눌렀습니다.

9 코로 냄새를 느끼는 것을 '맡다'라고 합니다.

10 차 안에서 안전띠를 매고 지나친 장난을 치지 않으며, 차창 밖으로 얼굴이나 손 등을 내밀지 말라는 것은 차 안에서 지켜야 할 행동이므로 제시된 내용은 통학 버스를 탈 때 주의할 점입니다.

086쪽~091쪽 특강 창의·융합·코딩

1 ❶ 세월 **❷** 장독대 **❸** 영양소
2 믹서
3

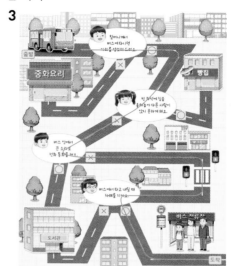

4 (1) 미리 막고 (2) 만들려고
5 (1) ① 반 성 ② 반 칙 (2) 賊 反 荷 杖

1 2주에서 배운 낱말을 떠올리며 알맞은 답을 씁니다.
2 코딩 명령을 따라가면 다음과 같습니다.

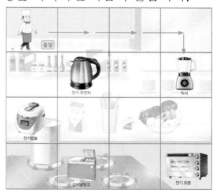

3 버스 안에서는 다른 사람에게 피해를 주는 행동을 해서는 안 됩니다. 버스에서 타고 내릴 때는 차례를 지키며 질서 있게 행동해야 합니다.

4 '예방'은 미리 막는다는 뜻이고, '조성'은 분위기나 흐름 등을 만든다는 뜻입니다.

5 (1) ① 反省(반성): 자신의 언행에 대하여 잘못이나 부족함이 없는지 돌이켜 봄.
② 反則(반칙): 법칙이나 규정, 규칙 따위를 어김.
(2) 빈칸에 들어갈 한자는 反(돌이킬 반) 자입니다.

1-1 쪼개자   1-2 쪼개
2-1 (2) ○   2-2 보호자

1-1~1-2 '쪼개다'의 '개'를 '게'로 쓰지 않도록 합니다.

2-1 '어떤 사람을 보호할 책임을 가지고 있는 사람.'을 뜻하는 낱말은 '보호자'입니다.

2-2 '보호색'은 적으로부터 자신의 몸을 보호하기 위한 몸 색깔을 뜻하는 낱말입니다.

097쪽   똑똑한 하루 독해   미리 보기

1 소식   2 이듬해

098쪽~099쪽   똑똑한 하루 독해

1 (4) ×   2 ③, ⑤   3 박씨를 물어다 주었다 등
4 ❶ 금은보화   ❷ 도깨비

1 이 글에 나오는 시간을 나타내는 말은 '어느 날, 이듬해 봄, 가을이 되자'입니다.

{ 더 알아보기 }
시간에 따라 흥부에게 일어난 일 정리하기
• **어느 날**: 흥부가 제비의 다리를 치료해 주었습니다.
• **이듬해 봄**: 제비가 박씨를 물어다 주었고 흥부는 박씨를 마당에 심었습니다.
• **가을이 되자**: 박이 주렁주렁 열렸고, 박을 쪼갠 흥부는 큰 부자가 되었습니다.

2 흥부는 제비의 다친 다리를 정성껏 치료해 주었고, 이듬해 봄에 제비가 물어다 준 박씨를 심었습니다.

3 제비는 자신의 다리를 치료해 준 흥부와 놀부에게 박씨를 물어다 주었습니다.

채점 기준
제비가 박씨를 물어다 준 행동에 대한 내용으로 답을 썼으면 정답으로 합니다.

4 똑같이 제비의 다리를 치료해 준 흥부와 놀부에게 각각 어떤 일이 일어났는지 내용을 정리해 봅니다.

100쪽   똑똑한 하루 독해   어휘

1 (2) ○   2 (1) 주렁주렁   (2) 우르르
3 (1) 메었다   (2) 매어

1 밑줄 그은 '박씨'는 덩굴에 열리는 크고 둥근 열매인 박의 씨(식물의 열매 속에 있는, 앞으로 싹이 터서 자라게 될 단단한 물질.)를 뜻하는 말로, (2)의 '박씨'가 같은 뜻으로 쓰였습니다.

{ 왜 틀렸을까? }
(1) '박씨'는 우리 성의 하나인 박씨 그 자체나 박씨의 가문을 뜻하는 말입니다.

2 (1)은 열매가 '주렁주렁' 열려 있는 그림이고, (2)는 보물이 '우르르' 쏟아져 나오는 그림입니다.

3 (1) '메었다'는 '어깨에 걸치거나 올려놓았다.'의 뜻이고, (2) '매어'는 '끈이나 줄 따위의 두 끝을 엇걸고 잡아당기어 풀어지지 않게 마디를 만들어.'라는 뜻입니다.

101쪽   똑똑한 하루 독해   게임

(1) 바로 다음의 해. (㉣)
(2) 금, 은, 보석 따위의 매우 귀중한 물건. (㉢)
(3) 멀리 떨어져 있는 사람의 사정을 알리는 말이나 글. (㉡)
(4) 천의 조각. (㉠)

그림 조각을 맞추어 완성한 그림입니다.

103쪽 · 똑똑한 **하루 독해** · 미리 보기

① 플라스틱   ② 재활용   ③ 분리배출

104쪽~105쪽 · 똑똑한 **하루 독해** ·

1 ②, ⑤   2 쓰레기 양 등
3 ③, ④   4 ❶ 쓰레기 ❷ 분리배출

1 글의 맨 앞에 쓰레기는 보기도 안 좋고 냄새도 나고 지하수도 오염시킨다고 했습니다.

(왜 틀렸을까?)
①, ③: 이 글에 나오는 내용이 아닙니다.
④: 쓰레기는 다시 사용할 수 있습니다.

2 쓰레기 가운데 종이, 유리병, 플라스틱, 금속, 알루미늄 등은 다시 사용할 수 있으므로 쓰레기 분리배출을 하자는 글쓴이의 의견이 담겨 있는 글입니다.

채점 기준
쓰레기 분리배출을 하면 좋은 점 가운데 쓰레기 양을 많이 줄일 수 있다는 내용이 나타나게 답을 썼으면 정답으로 합니다.

3 주어진 그림은 우유갑으로 자동차를 만든 것으로, 바퀴는 플라스틱 뚜껑으로 만들었습니다.

우유갑

플라스틱

(왜 틀렸을까?)
철, 유리, 음식 찌꺼기는 재활용할 수 있는 것들이지만 이 그림에서는 사용하지 않았습니다.

4 쓰레기가 전부 쓸모없는 것이 아니고 재활용할 수 있으므로 분리배출을 해야 한다는 내용이 잘 나타나게 내용을 정리하여 봅니다.

106쪽 · 똑똑한 **하루 독해** · 어휘

1 (1) 플라스틱 (2) 찌꺼기   2 (1) ② (2) ①

1 '플라스틱'을 '프라스틱', '찌꺼기'를 '지꺼기'라고 쓰지 않도록 주의합니다.

2 '오염'과 '재활용'의 낱말의 뜻을 잘 살펴보고 낱말의 뜻에 어울리는 그림을 찾아봅니다.

(왜 틀렸을까?)
①: 플라스틱이나 낡은 신문을 재활용하여 옷, 신발, 화장지를 만든 모습입니다.
②: 지하수에 쓰레기가 버려져 있어서 물이 오염된 모습입니다.

107쪽 · 똑똑한 **하루 독해** · 게임

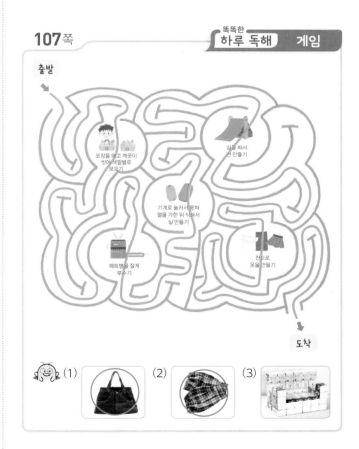

출발

포장을 뜯고 깨끗이 씻어 색깔별로 모으기

실을 짜서 천 만들기

기계로 눌러서 뭉쳐 열을 가한 뒤 식혀서 실 만들기

페트병을 잘게 부수기

천으로 옷을 만들기

도착

(1)   (2)   (3)

◉ 페트병을 재활용하면 옷을 만들 수 있는데, (1)은 옷을 이용하여 가방을 만들었고 (2)는 옷을 이용하여 팔 토시를 만들었습니다. (3)은 우유갑을 재활용하여 의자를 만든 것입니다.

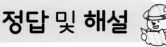

109쪽   똑똑한 하루 독해 미리 보기

1 징검다리   2 폴짝폴짝

110쪽~**111**쪽   똑똑한 하루 독해

1 ①, ④   2 민수
3 징검돌을 뛰어 건너다가 등
4 ❶ 징검다리 ❷ 물

1 반복되는 말은 시에서 여러 번 되풀이하여 나오는 말을 말합니다. 이 시에서 반복되는 말은 '태성아', '그러다가 물에 빠질라', '폴짝폴짝'입니다. '하늘을', '그래도', '비행기가 큰 소리를 내며'는 시에서 한 번만 나오는 말들입니다.

┌ **더 알아보기** ┐
반복되는 말의 느낌을 살려 시를 낭송하기
• 시에서 여러 번 되풀이하여 나오는 말을 찾아봅니다.
• 반복되는 말이 어떤 느낌을 주는지 생각해 봅니다.
• 반복되는 말의 느낌을 살려 노래하듯이 읽습니다.

2 흉내 내는 말을 읽으면 실감 나고 재미있고, 노래를 부르는 듯한 느낌이 납니다.

┌ **더 알아보기** ┐
흉내 내는 말의 뜻 알아보기
• **폴짝폴짝**: 작은 것이 자꾸 세차고 가볍게 뛰어오르는 모양.
• **풍덩**: 크고 무거운 물건이 깊은 물에 떨어지거나 빠질 때 무겁게 한 번 나는 소리.

3 이 시에서 태성이는 엄마 빨래하는 데 따라와 징검 다리를 뛰어다니며 놀았습니다. 그러다가 하늘에 지나가는 비행기를 보며 징검돌을 뛰어 건너다가 물에 빠진 것입니다.

    채점 기준
    '징검돌을 뛰어 건너다가'나 '징검돌을 뛰어다니다가' 등의 내용으로 답을 썼으면 정답으로 합니다.

4 징검다리를 뛰어다니는 태성이와 물에 빠지니 뛰지 말라는 엄마의 모습이 잘 나타나게 내용을 정리해 봅니다.

112쪽   똑똑한 하루 독해 어휘

1 (1) 풀쩍풀쩍   (2) 퐁당
2 (1) 뛰어다닙니다   (2) 빠집니다

1 보기 에서 '팔락팔락'은 '바람에 빠르고 가볍게 잇따라 나부끼는 소리. 또는 그 모양.'을 흉내 내는 말이고, '펄럭펄럭'은 '바람에 잇따라 빠르고 힘차게 나부끼는 소리. 또는 그 모양.'을 흉내 내는 말입니다. (1)에서 '폴짝폴짝'의 큰말은 '풀쩍풀쩍'이고, (2)에서 '퐁당'의 큰말은 '퐁덩'입니다.

┌ **더 알아보기** ┐
• **큰말**: 뜻은 작은말과 같으나 표현상 크고, 어둡고, 무겁게 느껴지는 말입니다.
• **작은말**: 뜻은 큰말과 같으나 표현상의 느낌이 작고, 가볍고, 밝게 들리는 말입니다.

2 우리말에는 한 글자씩 읽을 때와 글자를 이어 읽을 때에 소리가 다르게 나는 경우가 있습니다. 한 글자씩 떼어서 읽는 것이 아니라 자연스럽게 이어서 읽어야 합니다.

113쪽   똑똑한 하루 독해 게임

❶ 개구리가 논둑에서 [개굴개굴] 울어요.
❷ 오리는 [뒤뚱뒤뚱] 걸어요.
❸ 강아지가 [멍멍] 짖으며 우리를 반겨 주었어요.
❹ 말이 갑자기 [껑충껑충] 뛰어서 깜짝 놀랐어요.

◉ 그림에 나오는 개구리, 오리, 강아지, 말의 소리나 모양을 흉내 내는 말을 찾아보고 직접 흉내 내어 봅니다.

4일

115쪽 똑똑한 하루 독해 미리 보기

❶ 겁   ❷ 공   ❸ 장수

116쪽~117쪽 똑똑한 하루 독해

1 (2) ○   2 ③, ⑤
3 (1) 왕의 힘 등   (2) 바보와 울보의 결혼 등
4 ❶ 사위   ❷ 바보

1 바보 온달 이야기에서 평원왕은 평강 공주가 울 때마다 평강 공주에게 겁을 주어서 울지 않게 하려고 바보 온달에게 시집보낸다고 말하였습니다.

(더 알아보기)

'바보 온달 이야기'의 내용 알아보기

옛날, 마음씨가 착하고 어머니를 잘 모시는 온달이 살고 있었는데 좀 낡은 듯하게 차려입은 온달을 보고 동네 아이들이 바보라고 놀려 댔어요.

한편, 평원왕에게는 평강이라는 딸이 있었어요. 평강 공주는 특별한 이유도 없이 울고 또 울어 댔어요. 평원왕은 평강 공주가 울 때마다 입버릇처럼 "너, 자꾸 울면 바보 온달에게 시집보낸다."라고 말했어요.

어느덧 세월이 흘러 결혼할 나이가 되자 평강 공주는 평원왕에게 바보 온달과 결혼을 하겠다고 했어요. 평원왕은 평강 공주를 궁궐에서 쫓아내고 평강 공주는 곧장 온달을 찾아가 결혼했어요.

평강 공주는 온달에게 글을 배우도록 했고, 온달은 글을 배우고 말타기와 무술을 익혀 씩씩한 남자로 변해 갔지요.

몇 년이 흐른 뒤, 온달은 나라에서 열린 사냥 대회에서 우승을 하였고 온달은 평강 공주와 정식으로 결혼식을 할 수 있었죠. 그 뒤 온달은 많은 전쟁에서 공을 세웠어요.

얼마 뒤 평원왕이 죽고, 그 뒤를 이어 영양왕이 나라를 다스리게 되었어요. 영양왕은 영토를 넓히고 있었고 온달 장군이 앞장섰어요. 고구려군은 가는 곳마다 승리를 거두었어요. 온달 장군은 성을 빼앗기 위해 노력했지만 신라군이 쏜 화살에 맞아 죽고 말았어요.

2 바보라고 소문난 온달은 전쟁터에서 뛰어난 공을 세

정답 및 해설

운 훌륭한 장수로 지위가 낮은 귀족이거나 집안이 망한 귀족이었을 것이라고 하였습니다.

(왜 틀렸을까?)

③: 온달을 바보라고 소문낸 것은 명문 귀족들이었습니다.
⑤: 온달은 바보가 아니라 훌륭한 장수였습니다.

3 온달이 왕의 힘을 키우려는 평원왕을 도와 명문 귀족들의 힘이 강해지는 것을 막는 역할을 하자 기분이 좋지 않은 명문 귀족들은 온달을 바보라고 헛소문을 냈습니다.

채점 기준
'왕의 힘'을 키우려고 한 평원왕을 도와줬다는 내용과 온달과 평강 공주의 결혼을 '바보와 울보의 결혼'이라고 헛소문을 냈다는 내용을 썼으면 정답으로 합니다.

4 일이 일어난 차례에 맞게 글의 내용을 정리해 봅니다.

118쪽 똑똑한 하루 독해 어휘

1 거블   2 예사말   3 (1) 반 (2) 비

1 보기 에서 '할아버지'라고 쓰고 [하라버지]라고 읽는 것처럼 글자를 이어서 읽을 때에는 앞 글자의 받침이 뒤 글자의 첫소리로 옮겨 가서 소리가 납니다.

2 보기 를 보면 어른한테는 '사람이나 사물을 높여서 이르는 말.'인 높임말을 쓰고, 친구나 동생한테는 '높이거나 낮추는 말이 아닌 보통 말.'인 예사말을 쓴다는 것을 알 수 있습니다.

3 '약하다'는 '힘의 정도가 작다.'라는 뜻이고, '세다'는 '힘이 많다.'라는 뜻입니다.

119쪽 똑똑한 하루 독해 게임

㉠ 1부터 5를 다 더하면? (15)
㉡ 9 곱하기 8은? (72)

◉ 온달이 바보가 아니라는 내용의 만화를 보고 온달에게 낸 문제를 같이 풀어 봅니다.

㉠: 1+2+3+4+5=15
㉡: 9×8=72

5일

121쪽 · 똑똑한 하루 독해 미리 보기

❶ 시설　❷ 선착순　❸ 예약

122쪽~123쪽 · 똑똑한 하루 독해

1 준호　**2** 안전한 시설 이용 등

3 ❶ 예약권　❷ 보호자

1 오후 2시 10분에 '어린이 동산'을 이용하려면 1시 30분에 예약을 해서 예약권을 받은 다음 2시 10분부터 입장하면 됩니다.

〔 왜 틀렸을까? 〕

　• 유리가 말한 것은 1시 30분에 '어린이 동산'을 이용하는 방법입니다.

　• 새나가 말한 것은 '어린이 동산'을 이용하는 방법으로 알맞지 않습니다.

2 안전한 시설 이용을 위하여 성인 보호자와 함께 이용해야 합니다.

채점 기준

안전하게 놀이 시설을 이용한다는 내용이 잘 나타나게 답을 썼으면 정답으로 합니다.

3 '어린이 동산'의 이용 방법과 주의할 점 등이 잘 나타나게 내용을 정리해 봅니다.

124쪽 · 똑똑한 하루 독해 어휘

1 (1) 회　(2) 매

2

❶예	약	제	
약			
		❷성	
		❸인	원

1 횟수를 나타내는 말인 '회'와 종이나 사진 등을 세는 말인 '매'의 뜻을 구분하여 봅니다.

2
　• 가로 ❶: 예약을 통해 주문이나 판매 등이 이루어지는 제도. → 예약제
　• 세로 ❶: 자리나 방, 물건 등을 사용하기 위해 미리 약속함. 또는 그런 약속. → 예약
　• 세로 ❷: 자라서 어른이 된 사람. → 성인
　• 가로 ❸: 단체를 이루고 있는 사람들. 또는 그 사람들의 수. → 인원

125쪽 · 똑똑한 하루 독해 게임

◉ 엄마를 잃어버렸을 때에는 '미아보호소'로 가야 하고, 몇 시까지 운영하는지 궁금할 때에는 '인포메이션'으로 가야 합니다.

126쪽~127쪽 · 평가 누구나 100점 테스트

1 ⑤　　**2** (1) ○ (2) ○　　**3** ㉡
4 ③　　**5** ①, ⑤　　**6** (3) ○　　**7** ②
8 왕　　**9** 온달　　**10** ㉢

1 놀부가 커다랗게 익은 박을 쪼개자 무서운 도깨비가 나타나 놀부의 재산을 빼앗아 갔습니다.

2 ㉢'빼았아'는 '빼앗아'로 고쳐야 합니다.

3 쓰레기를 분리배출하면 재활용하기도 쉽고 쓰레기 양도 많이 줄일 수 있다고 하였습니다.

4 플라스틱을 재활용하면 옷, 의자 등을 만들 수 있습니다.

《 왜 틀렸을까? 》
①: 우유갑을 재활용하면 화장지를 만들어 낼 수 있습니다.
②: 낡은 신문지를 재활용해 새 신문을 만들 수 있습니다.
④: 유리를 녹이면 쉽게 다른 유리 제품을 만들어 낼 수 있습니다.
⑤: 음식 찌꺼기를 재활용하면 거름으로 쓸 수 있습니다.

5 흉내 내는 말이란 사람이나 사물의 소리나 모습을 나타내는 말입니다. 이 시에서는 태성이가 징검다리를 뛰어다니는 모습을 흉내 내는 말 '폴짝폴짝'을 사용해 표현했습니다. 그리고 태성이가 물에 빠지는 소리를 흉내 내는 말 '풍덩'을 사용해 표현했습니다.

6 징검다리를 뛰어다니는 태성이를 보고 '그러다가 물에 빠질라'라고 하였으므로 '그러다가'는 '징검다리를 뛰어다니다가'를 뜻합니다.

7 태성이는 엄마 빨래하는 데 따라와 징검다리를 뛰어다니다가 물에 빠졌습니다. 그러므로 ㉡은 엄마께서 하신 말씀입니다. 시의 3행과 4행은 엄마께서 말씀하신 것입니다. 친구, 선생님, 아빠 등 다른 인물은 시에 나오지 않습니다.

8 평원왕은 전쟁터에 나가 공을 세운 온달을 사위로 삼아 왕의 힘을 키우려고 했습니다.

9 훌륭한 장수인 온달이 왕의 사위가 되어 왕을 도와주자 명문 귀족들은 기분이 좋지 않아서 온달이 바보라고 헛소문을 냈습니다.

10 예약권을 셀 때는 종이나 사진 등을 세는 말인 '매'를 사용합니다.

《 더 알아보기 》

숫자를 세는 말
• 분: 1시간의 60분의 1인 시간을 나타내는 말.
  예 수업과 수업 사이의 쉬는 시간은 10분이다.
• 명: 사람을 세는 말.
  예 우리 가족은 25명이다.
• 마리: 짐승이나 물고기, 벌레 따위를 세는 말.
  예 우리 집 어항에는 금붕어가 3마리 있다.

128쪽~**133**쪽

1 ❶ 선착순 ❷ 명성 ❸ 헛소문
2 (2) ○
3 (2) ×
4 (1) 가까이 (2) 들어가지 말라는
5 (1) ① 우 선 ② 선 두 (2) 先 見 之 明

1 3주에서 배운 낱말을 떠올리며 알맞은 답을 씁니다.

2 코딩 명령 (2)를 따라가면 다음과 같습니다.

3 (1)의 친구는 7시 30분에, (2)의 친구는 5시 30분에, (3)의 친구는 9시에 재활용 쓰레기를 버리고 있습니다. 안내문에서 재활용 쓰레기 분리배출 시간이 저녁 6시부터 밤 10시까지라고 하였으므로, 저녁 6시 전에 쓰레기를 버린 (2)의 친구가 정해진 시간을 지키지 않았습니다.

4 '반려동물'은 사람들이 좋아하여 가까이 두고 귀여워하며 기르는 동물입니다. '금합니다'는 어떤 일을 하지 못하게 말린다는 뜻이므로 안내문은 반려동물과 같이 학교 운동장에 들어가지 말라는 뜻입니다.

5 (1) ① 于先(우선): 어떤 일에 앞서서.
    ② 先頭(선두): 대열이나 행렬, 활동 따위에서 맨 앞.
  (2) 빈칸에 들어갈 한자는 先(먼저 선) 자입니다.

136쪽~137쪽   4주에는 무엇을 공부할까? ❷

1-1 갇힌	1-2 (1) ○
2-1 잔치	2-2 잔치

1-1 '닫히다'는 '열린 문짝, 뚜껑, 서랍 따위가 도로 제 자리로 가 막히다.'라는 뜻입니다.

1-2 '갇힌'은 [가친]으로 소리 납니다. 소리 나는 대로 쓰지 않도록 주의합니다.

2-1 '회의'는 여럿이 모여 어떤 일을 의논하는 모임을 뜻합니다. 아기의 첫 생일인 돌 때 사람들을 초대해서 회의를 여는 것은 어울리지 않습니다.

2-2 '생일에 음식을 차려 놓고 여러 사람이 모여 즐기는 일.'은 '생일잔치'입니다.

139쪽   똑똑한 하루 독해 미리 보기

❶ 불길   ❷ 까투리

140쪽~141쪽   똑똑한 하루 독해

1 빨리빨리	2 새끼들 / 꿩병아리들 등 3 수현
4 ❶ 엄마 까투리 ❷ 불길	

1 '시간을 끌지 아니하고 바로.'라는 뜻을 강조하여 이르는 말인 '얼른얼른' 대신에 쓸 수 있는 말은 '빨리빨리'입니다. '빨리빨리'는 '걸리는 시간이 아주 짧게.'라는 뜻을 가진 낱말로 '얼른얼른' 대신 넣어 읽어도 문장의 뜻이 자연스럽게 읽힙니다.

2 산에 불이 나자 엄마 까투리는 새끼들을 지키기 위해 날개 안에 꼬옥 보듬어 안고, 불길이 새끼들을 덮치지 않도록 지켜 주었습니다.

> **채점 기준**
> 산에 불이 난 상황에서 엄마 까투리가 무엇을 불길로부터 지키려고 하였는지 정확히 썼으면 정답으로 합니다.

3 엄마 까투리가 사나운 불길이 자신을 감싸 뜨거워도 꼼짝 않은 것은 새끼들을 불길에서 지키고 싶은 마음이기 때문입니다.

4 엄마 까투리는 불길을 피할 수 없게 되자 날개 안에 새끼들을 꼬옥 보듬어 안았고, 사나운 불길이 자신을 감싸도 꼼짝 않고 새끼들을 지켜 주었습니다.

142쪽   똑똑한 하루 독해 어휘

1 (1) 명 (2) 자루 (3) 마리 2 아래

1 빈칸에는 앞에 쓰인 대상의 수량을 셀 때 쓰는 말이 들어가야 합니다. (1)은 학생(사람)을 센 것이므로 사람을 셀 때 쓰는 말인 '명', (2)는 연필을 센 것이므로 길쭉하게 생긴 필기도구 등을 셀 때 쓰는 말인 '자루'를 써야 합니다. 그리고 (3)은 개를 센 것이므로 짐승 등을 셀 때 쓰는 말인 '마리'를 써야 합니다.

2 그림 속 반지는 등잔 아래에 있습니다.

143쪽   똑똑한 하루 독해 게임

◉ 호랑이, 뱀, 불길을 피해 안전한 방향을 알려 주어 엄마 까투리와 꿩병아리들이 안전한 장소에 도착할 수 있게 합니다.

145쪽

똑똑한 하루 독해 **미리 보기**

❶ 초콜릿   ❷ 액체   ❸ 가열

146쪽~147쪽

똑똑한 하루 독해

1 그래서   **2** 멕시코인   **3** 부드러운 액체로 등
4 ❶ 카카오 버터   ❷ 녹는다

1 초콜릿의 원료인 카카오 버터는 사람의 체온과 비슷한 34도에서 녹는 특징이 있다고 하였고, 이러한 특징 때문에 가열을 하지 않고도 사람의 몸에 닿기만 해도 사르르 녹게 된다고 하였습니다. ㉠ 앞의 일로 뒤의 일이 일어났으므로 ㉠에는 '그래서'가 들어가야 합니다.

> **(더 알아보기)**
> • **그러나**: 앞뒤의 일이 서로 반대될 때 쓰는 말.
>   예 동생은 젓가락질을 열심히 연습했다. 그러나 아직도 젓가락질을 잘하지 못한다.
> • **그래서**: 앞의 일로 뒤의 일이 일어날 때 쓰는 말.
>   예 동생은 젓가락질을 열심히 연습했다. 그래서 지금은 젓가락질을 잘할 수 있게 되었다.

2 초콜릿은 기원전 1500년쯤에 멕시코인들이 카카오 나무의 열매를 갈아서 음료로 마신 것에서 시작되었다고 하였습니다.

3 초콜릿처럼 딱딱한 고체가 부드러운 액체로 변하며 맛과 향을 내는 것은 재료의 맛을 가장 잘 살릴 수 있는 과학적인 방법이라고 하였습니다.

> **채점 기준**
> 초콜릿처럼 딱딱한 고체가 무엇으로 변하며 맛과 향을 내는지 밝혀 썼으면 정답으로 합니다.

4 초콜릿을 입 안에 넣거나 손으로 잡으면 사르르 녹는데, 이것은 초콜릿의 원료인 카카오 버터가 사람의 체온과 비슷한 34도에서 녹는 특징이 있기 때문입니다.

148쪽

똑똑한 하루 독해 **어휘**

1 (1) 고체 (2) 액체   **2** 사르르

1 (1)의 사진 속 초콜릿은 딱딱한 고체 상태이고, (2)의 사진 속 초콜릿은 부드럽게 흘러내리는 액체 상태입니다. 고체는 일정한 모양과 크기를 가지고 있으며 쉽게 모양이 변하지 않는 상태이며, 액체는 크기는 일정하지만 모양이 일정하지 않고 쉽게 변하는 상태이므로 그 특징을 알면 쉽게 구분할 수 있습니다.

> **(더 알아보기)**
> • **고체 상태의 물질**: 나무, 돌, 얼음 등
> • **액체 상태의 물질**: 물, 식용유, 우유 등

2 '사르르'는 눈이나 얼음 따위가 저절로 살살 녹는 모양을 뜻하는 낱말입니다. 아이스크림이 녹는 모양을 흉내 내는 말로 알맞은 것은 '사르르'입니다.

> **(더 알아보기)**
> **'사르르'의 다른 뜻 더 알아보기**
> • 얽히거나 뭉쳤던 것이 저절로 살살 풀리는 모양.
>   예 신발끈이 사르르 풀렸다.
> • 졸음이 살며시 오는 모양.
>   예 텔레비전을 보는데 사르르 잠이 몰려 왔다.
> • 눈을 살며시 감거나 뜨는 모양.
>   예 나는 사르르 감았던 눈을 떴다.

149쪽

똑똑한 하루 독해 **게임**

고체 상태인 초콜릿을 녹여서 액체 상태로 만들려면 초콜릿을 담은 그릇을 (뜨거운 물 위에 올려 뜨겁게 하면 , 차가운 얼음 위에 올려 차갑게 하면) 된다.

○ 사진 **1**에서 고체 상태였던 초콜릿은 사진 **2**에서 뜨거운 물 위에 올리자 녹아서 액체 상태로 변하였습니다. 여기에서 고체 상태의 초콜릿을 녹이려면 뜨거운 물 위에 올려 뜨겁게 하면 된다는 사실을 알 수 있습니다. 만약 액체 상태의 초콜릿을 차가운 얼음 위에 올려 차갑게 하면 다시 딱딱하게 굳은 고체 상태가 될 것입니다.

3일

151쪽 — 똑똑한 하루 독해 **미리 보기**

1 은혜　　　**2** 판결

152쪽~153쪽 — 똑똑한 하루 독해

1 사슴　　　**2** 다시 상자에 가두었다. 등 **3** (3) ○
4 ❶ 나무꾼　❷ 토끼　❸ 호랑이

1 나무꾼에게 도움을 받고 고마워하는 동물이 무엇인지 찾아봅니다. 사슴은 얼마 전에 나무꾼이 사냥꾼으로부터 자신을 숨겨 주었다고 하였으므로 고마운 마음이 들었을 것이고, 뱀은 나무꾼이 얼마 전에 자신의 남편을 죽였다고 하였으므로 미워하는 마음이 들었을 것입니다. 그러므로 은혜를 갚으러 온 것은 사슴입니다.

　⟨ 더 알아보기 ⟩
　나무꾼에게 남편을 잃은 뱀은 나무꾼에게 은혜를 갚으러 온 것이 아니라 원수를 갚으러 왔을 것입니다.

2 토끼는 나무꾼에게서 판결을 부탁받고는 사건의 내용을 이해하지 못하는 척하면서 호랑이가 다시 상자에 스스로 들어가게 만들어 가두었습니다.

　채점 기준
　토끼가 호랑이를 다시 상자에 가두었다는 사실을 썼으면 정답으로 합니다.

3 ㉠ 안에는 토끼의 도움을 받아 호랑이로부터 벗어난 나무꾼이 기뻐하는 표정이나 몸짓 등이 들어가야 합니다. 기뻐하는 나무꾼의 마음에 어울리는 표정은 (3)입니다. 나무꾼은 (3)의 그림처럼 환하게 웃으며 토끼에게 정말 감사하다고 말하였을 것입니다.

　⟨ 왜 틀렸을까? ⟩
　토끼의 도움으로 호랑이에게서 목숨을 구하고 기뻐하는 나무꾼의 표정이나 행동으로 (1)과 (2)는 어울리지 않습니다.

4 이야기에 등장하는 인물과 그 인물이 한 행동을 알아보고 빈칸에 알맞은 인물을 씁니다. 상자에 갇혀 있던 호랑이를 구해 준 인물은 '나무꾼'이고, 나무꾼이 호랑이와 자신 중 누가 옳은지 판결해 달라고 부탁한 인물은 '토끼'입니다. 그리고 토끼가 상자에 가둔 인물은 '호랑이'입니다.

154쪽 — 똑똑한 하루 독해 **어휘**

1 (1) ?　(2) ,　**2** (1) 가　(2) 이

1 '어휴, 이렇게 간단한 것도 모르겠니 [ ]'하고 묻는 말에 어울리는 문장 부호는 ?(물음표)입니다. '토끼님 [ ] 정말 감사합니다!'에서 토끼를 부르는 말 뒤에 어울리는 문장 부호는 ,(쉼표)입니다.

　⟨ 더 알아보기 ⟩
　,(쉼표)는 부르는 말이나 대답하는 말을 쓸 때, 같은 자격의 낱말들을 늘어놓을 때, 순서를 나타내는 낱말을 쓸 때, 문장의 연결 관계를 분명히 보여 줄 때, 끊어 읽는 곳을 나타낼 때 등 다양한 경우에 씁니다.

2 '호랑이'와 '나무꾼' 뒤에 어떤 말이 붙을 수 있는지 묻는 문제입니다. '이/가'는 낱말의 끝에 받침이 있는지 없는지에 따라 달라지는데 (1)'호랑이'는 낱말의 끝에 받침이 없으므로 '가'가 붙고, (2)'나무꾼'은 낱말의 끝에 받침이 있으므로 '이'가 붙습니다.

155쪽 — 똑똑한 하루 독해 **게임**

◉ 토끼의 꾀에 속아 다시 상자에 갇힌 호랑이의 표정이 드러나도록 가면에 눈과 입을 그립니다. 호랑이는 슬프거나 후회되는 마음일 것입니다.

157쪽   똑똑한 하루 독해 미리 보기

❶ 잔치   ❷ 백설기

158쪽~**159**쪽   똑똑한 하루 독해

1 ①   2 쌀가루에 설탕을 섞어 찐 등   3 연아
4 ❶ 건강 ❷ 수수경단

1 이 글은 돌 때 상에 올라오는 떡에 대해 설명하는 글입니다. 이 글을 읽으면 돌 때 어떤 떡을 상에 올리는지 알 수 있고, 그 떡을 상에 올리는 까닭도 알 수 있습니다.

2 빈칸에는 백설기가 어떻게 만들어진 떡인지 백설기를 만드는 방법이 들어가야 합니다. 이 글에서 백설기는 쌀가루에 설탕을 섞어 찐 떡이고, 수수경단은 한입에 먹기 좋도록 작고 둥글게 만들어 콩가루나 팥 등의 고물을 묻힌 떡이라고 하였습니다.

> **채점 기준**
> 백설기가 쌀가루에 설탕을 섞어 찐 떡이라는 사실을 정확히 썼으면 정답으로 합니다.

3 ⊙ '고물'의 앞뒤 내용을 살펴보면 수수경단에 묻히는 콩가루나 팥 등을 '고물'이라고 한다는 것을 알 수 있습니다. 이를 통해 ⊙ '고물'은 떡에 묻히거나 뿌리는 가루로 된 재료라는 뜻으로 쓰였다는 사실을 짐작할 수 있습니다.

> **왜 틀렸을까?**
> 진우는 헐거나 낡은 물건을 뜻하는 '고물'을 떠올려 말하였습니다. 하지만 이 글에 쓰인 ⊙'고물'은 떡 따위의 겉에 묻히거나 떡 사이에 뿌리는 가루로 된 재료를 뜻하는 낱말입니다.

4 이 글은 돌 때 상에 꼭 올리는 떡인 백설기와 수수경단에 대해 설명하는 글입니다. 백설기에는 아기가 건강하게 오래 살기를 바라는 마음이 담겨 있고, 수수경단에는 나쁜 기운을 물리치려는 뜻이 담겨 있습니다.

160쪽   똑똑한 하루 독해 어휘

1 (1) ② (2) ①   2 (3) ◯

1 (1)에 쓰인 '돌'은 어린아이가 태어난 날로부터 한 해가 되는 날을 뜻하는 낱말이고, (2)에 쓰인 '돌'은 흙 따위가 굳어서 된 단단한 덩어리를 뜻하는 낱말입니다. 두 낱말은 형태가 같아서 언뜻 똑같아 보이지만, 문장의 내용으로 미루어 짐작해 보면 낱말이 어떤 뜻으로 쓰였는지 알 수 있습니다.

2 호랑이가 설명한 떡으로 알맞은 것은 수수경단입니다. 「기쁜 날 먹는 떡」에서 읽은 수수경단의 특징을 떠올리거나, 사진 속 떡들의 모습을 호랑이의 설명과 비교하며 알맞은 답을 찾아봅니다.

161쪽   똑똑한 하루 독해 게임

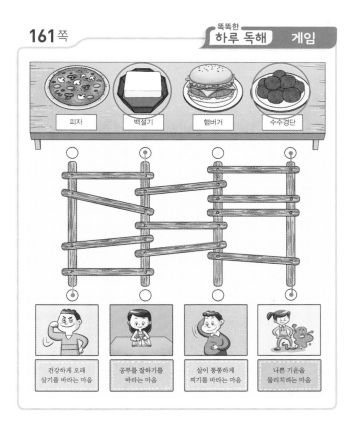

◉ 돌잔치 상에 올릴 음식으로 알맞은 것은 백설기와 수수경단입니다. 백설기에는 아이가 건강하게 오래 살기를 바라는 마음이 담겨 있고, 수수경단에는 나쁜 기운을 물리치려는 뜻이 담겨 있습니다.

5일

163쪽 똑똑한 하루 독해 미리 보기

❶ 곤충　❷ 환경　❸ 야행성

164쪽~165쪽 똑똑한 하루 독해

1 성호　**2** (1) ○
3 톱밥은 넉넉히 깔아 주어서 등
4 ❶ 상자　❷ 젤리

1 성호는 장수풍뎅이를 키우기 위해 알아야 할 내용을 생각하여 알맞게 말하였습니다. 하지만 장수풍뎅이와 사슴벌레를 싸움 붙이면 누가 이길지에 관한 내용은 장수풍뎅이를 키우는 일과는 상관이 없는 내용입니다.

> **더 알아보기**
> **장수풍뎅이를 키우기 위해 필요한 정보 더 생각해 보기**
> • 장수풍뎅이 잡는 법
> • 장수풍뎅이가 태어나 죽을 때까지 겪는 변화 등

2 '장수풍뎅이 소개' 부분에서 수컷 장수풍뎅이는 머리에 크고 멋진 뿔 모양의 돌기가 있다고 하였습니다. 이러한 특징을 생각하며 수컷 장수풍뎅이를 찾아보면 머리에 큰 돌기를 가진 (1)의 장수풍뎅이가 수컷, 머리에 큰 돌기가 없는 (2)의 장수풍뎅이가 암컷이라는 것을 알 수 있습니다.

3 야행성인 장수풍뎅이가 숨어서 쉴 수 있도록 집을 만들 때 무엇을 해 주어야 하는지 씁니다.

> **채점 기준**
> 톱밥을 넉넉히 깔아 주어야 한다고 썼으면 정답으로 합니다.

4 이 글은 장수풍뎅이를 키우는 방법을 설명하면서 크게 장수풍뎅이 집을 만드는 방법과 먹이 주는 방법을 설명하고 있습니다. 장수풍뎅이의 집은 상자와 나뭇조각, 톱밥 등을 준비하여 꾸며 주면 되고, 먹이는 젤리나 복숭아, 포도 등 수분이 많고 단맛이 나는 과일을 주면 된다고 하였습니다.

166쪽 똑똑한 하루 독해 어휘

1 (1) 몸집　(2) 톱밥
2 (1) 장수풍뎅이, 벌　(2) 포도, 복숭아

1 '몸집', '톱밥'은 소리 내어 읽으면 각각 [몸찝], [톱빱]으로 소리 나지만, '몸집', '톱밥'으로 써야 합니다. 소리 나는 대로 쓰지 않도록 주의하도록 합니다.

> **더 알아보기**
> **소리 나는 대로 적지 않는 낱말** 예
> 국수[국쑤], 깍두기[깍뚜기], 딱지[딱찌], 색시[색씨], 갑자기[갑짜기], 몹시[몹씨], 늑대[늑때], 접시[접씨]

2 '곤충'은 나비, 잠자리, 벌 등과 같이 머리, 가슴, 배 세 부분으로 되어 있고 몸에 마디가 많은 작은 동물을 뜻합니다. 보기 에서 '곤충'에 포함되는 것은 장수풍뎅이와 벌입니다. '과일'은 나무 따위를 가꾸어 얻는, 사람이 먹을 수 있는 열매를 뜻합니다. 보기 에서 '과일'에 포함되는 것은 포도와 복숭아입니다.

167쪽 똑똑한 하루 독해 게임

• 누에는 한 가지 먹이밖에 안 먹는다고 했으니까 (젤리 , 배추 ,⑩뽕잎, 수박 , 애벌레 , 과자)을/를 준비하면 돼요.

◐ 누에는 다른 먹이는 먹지 않고 뽕잎만 먹는다고 하였으므로 뽕잎을 충분히 준비하면 됩니다.

168쪽~169쪽 평가 누구나 100점 테스트

1 ②　　**2** (2) ○　**3** ④　　**4** (2) ○
5 (1) 딱딱한　(2) 부드러운　**6** ⑤　　**7** 돌
8 백설기　**9** (2) ×　**10** (1) 낮　(2) 밤

1 산에 불이 나서 엄마 까투리는 불길이 새끼들한테 덮칠까 봐 두 날개 안에 새끼들을 꼭 보듬어 안았습니다.

2 엄마 까투리는 불길에서 새끼들을 무사히 지켜야 한다는 마음으로 사나운 불길이 자신을 휩싸도 꼼짝도 하지 않았습니다.

3 ㉠'감고'는 '눈꺼풀을 내려 눈동자를 덮고.'라는 뜻이므로 뜻이 반대인 낱말은 '감았던 눈을 벌리고.'를 뜻하는 '뜨고'입니다.

┌─ 더 알아보기 ─┐

'감다'와 소리는 같지만 뜻이 다른 낱말

• 감다¹: 머리나 몸을 물로 씻다.

　예 언니는 날마다 머리를 감는다.

• 감다²: 어떤 물체를 다른 물체에 말거나 빙 두르다.

　예 치료를 한 뒤 다리에 붕대를 감았다.

4 초콜릿의 원료인 카카오 버터가 사람의 체온과 비슷한 34도에서 녹는 특징이 있어 초콜릿은 사람의 몸에 닿기만 해도 녹게 된다고 하였습니다. 이러한 내용을 통해 초콜릿이 잘 녹는 까닭을 알 수 있습니다.

5 '고체'는 나무, 돌 등과 같이 일정한 모양과 부피가 있으며 쉽게 모양이 변하지 않는 물질의 상태를 뜻합니다. '액체'는 물이나 주스처럼 일정한 부피는 가졌으나 일정한 모양을 가지지 못한 물질을 뜻합니다. 이러한 물질의 상태에 어울리는 말은 '딱딱한 고체', '부드러운 액체'입니다.

6 토끼는 호랑이가 스스로 상자 속으로 들어가자 얼른 상자를 잠그고, 모든 것이 원래대로 되었으니 가 보겠다고 말했습니다. 이러한 말과 행동으로 보아 토끼는 꾀가 많고 적극적이므로 밝고 씩씩한 말투가 어울립니다.

7 돌 때 상에 꼭 올리는 떡인 백설기와 수수경단에 대해 설명하고 있습니다.

8 백설기에는 아기가 건강하게 오래 살기를 바라는 마음이 담겨 있고, 수수경단에는 나쁜 기운을 물리치려는 뜻이 담겨 있습니다.

9 나무에 매달려 생활하는 장수풍뎅이를 위해서 나뭇조각은 매달려 놀 수 있는 것과 먹이를 놓을 수 있도록 구멍이 파인 것을 각각 준비하는 것이 좋다고 하였습니다.

10 장수풍뎅이는 야행성이므로 낮에 톱밥 속에 숨어 쉴 수 있게 해 주어야 합니다. '야행성'은 '낮에는 쉬고 밤에 활동하는 동물의 습성.'을 뜻합니다.

170쪽~175쪽

1 ❶ 불길 ❷ 곤충 ❸ 은혜

2 3

3

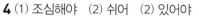

4 (1) 조심해야　(2) 쉬어　(3) 있어야

5 (1) ① 전 년 도　② 전 작　(2) 前 代 未 聞

1 4주에서 배운 낱말을 떠올리며 알맞은 답을 씁니다.

2 다음과 같이 3번 반복해야 나뭇가지에 도착합니다.

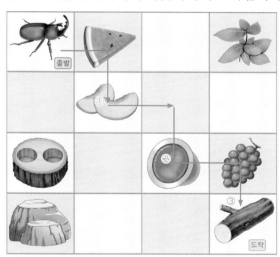

3 민아를 기준으로 친척을 부르는 말을 찾아야 합니다. 아버지의 누나는 '고모'이고, 아버지의 어머니는 '할머니'입니다. 아버지 남동생인 작은아버지의 아들은 '사촌'입니다.

4 '주의 사항'은 조심해야 하는 사항이고, '휴식'은 하던 일을 멈추고 잠깐 쉬는 것을 뜻합니다. '동반'은 일이나 행동을 할 때 함께 짝을 한다는 뜻이므로 13세 이하는 부모님이 있어야 수영장에 들어갈 수 있습니다.

5 (1) ① 前年度(전년도): 지난 연도.

　② 前作(전작): 지난번에 만든 작품.

　(2) 빈칸에 들어갈 한자는 前(앞 전) 자입니다.

똑똑한 하루 시/리/즈

배우는 즐거움! 쌓이는 기초 실력!

공부 습관을 만들자!
하루 1O분!

기초 학습능력 강화 프로그램

똑똑한 하루 독해

NEW

쉽다!
어휘의 강화로 쉬운 독해 시작

재미있다!
다양한 소재로 재미있는 독해 공부

똑똑하다!
생활 속 독서와 창의·융합·코딩 게임까지

1 단계 A 예비초~1학년

과목	교재 구성	과목	교재 구성
하루 독해	예비초~6학년 각 A·B (14권)	하루 VOCA	3~6학년 각 A·B (8권)
하루 어휘	예비초~6학년 각 A·B (14권)	하루 Grammar	3~6학년 각 A·B (8권)
하루 글쓰기	예비초~6학년 각 A·B (14권)	하루 Reading	3~6학년 각 A·B (8권)
하루 한자	예비초: 예비초 A·B (2권) 1~6학년: 1A~4C (12권)	하루 Phonics	Starter A·B / 1A~3B (8권)
하루 수학	1~6학년 각 A·B (12권)	하루 봄·여름·가을·겨울	1~2학년 각 2권 (8권)
하루 계산	예비초~6학년 각 A·B (14권)	하루 사회	3~6학년 1·2학기 (8권)
하루 도형	예비초 A·B, 1~6학년 6단계 (8권)	하루 과학	3~6학년 1·2학기 (8권)
하루 사고력	1~6학년 각 A·B (12권)	하루 안전	1~2학년 (2권)

정답은
이안에
있어!

배움으로 행복한 내일을 꿈꾸는
천재교육 커뮤니티 안내 . . .

 교재 안내부터 구매까지 한 번에!
천재교육 홈페이지

자사가 발행하는 참고서, 교과서에 대한 소개는 물론
도서 구매도 할 수 있습니다. 회원에게 지급되는 별을 모아
다양한 상품 응모에도 도전해 보세요!

 다양한 교육 꿀팁에 깜짝 이벤트는 덤!
천재교육 인스타그램

천재교육의 새롭고 중요한 소식을 가장 먼저 접하고 싶다면?
천재교육 인스타그램 팔로우가 필수!
깜짝 이벤트도 수시로 진행되니 놓치지 마세요!

 수업이 편리해지는
천재교육 ACA 사이트

오직 선생님만을 위한, 천재교육 모든 교재에 대한 정보가 담긴
아카 사이트에서는 다양한 수업자료 및 부가 자료는 물론
시험 출제에 필요한 문제도 다운로드하실 수 있습니다.

https://aca.chunjae.co.kr

 천재교육을 사랑하는 샘들의 모임
천사샘

학원 강사, 공부방 선생님이시라면 누구나 가입할 수 있는 천사샘!
교재 개발 및 평가를 통해 교재 검토진으로 참여할 수 있는 기회는 물론
다양한 교사용 교재 증정 이벤트가 선생님을 기다립니다.

 아이와 함께 성장하는 학부모들의 모임공간
튠맘 학습연구소

튠맘 학습연구소는 초·중등 학부모를 대상으로 다양한 이벤트와 함께
교재 리뷰 및 학습 정보를 제공하는 네이버 카페입니다.
초등학생, 중학생 자녀를 둔 학부모님이라면 튠맘 학습연구소로 오세요!